STO

JUEGO DE PODER

Jessica se quedó boquiabierta.

—¿Robin Wilson una Pi Beta Alfa? ¿Con *nosotras*? ¿Con Lila Fowler? Muy pronto nos estarán llamando Pi "Bolas" Alfa. En verdad, Liz, parece que vives en otro planeta.

Elizabeth suspiró.

—Por amor de Dios, Jessica, no finjas demencia. Le hice la promesa a Robin y no hay más que hablar. Robin ingresará a la fraternidad.

—¿Ah sí?

—Mira —dijo Elizabeth—, si yo la propongo y tú eres la presidenta de la fraternidad y su mejor amiga… ¡ya la hizo!

A manera de respuesta, Jessica sacudió su largo cabello y salió a grandes zancadas del cuarto. No fue sino hasta que había azotado la puerta que Elizabeth creyó escuchar la respuesta.

Otros títulos de la colección:

JUEGO DE PODER

SWEET VALLEY HIGH

JUEGO DE PODER

escrita por
Kate William

creación de
Francine Pascal

grijalbo

MÉXICO BARCELONA BUENOS AIRES

JUEGO DE PODER

Título original en inglés: *Power Play*

Traducción: Traducciones MB, S. C., de la edición de
Bantam Books, Inc., Nueva York, 1986

© 1983, Francine Pascal

D.R. © 1990 por EDITORIAL GRIJALBO, S. A.
Calz. San Bartolo Naucalpan No. 282
Argentina Poniente 11230
Miguel Hidalgo, México, D.F.

ISBN 968-419-877-9

IMPRESO EN MÉXICO

Uno

Elizabeth Wakefield no se había percatado de lo difíciles que se pondrían las cosas con la candidatura de Robin Wilson a la fraternidad, hasta que ya estaba demasiado comprometida para zafarse.

Sucedió, como tantas otras cosas, porque Jessica, su hermana gemela, acababa de ser electa presidenta de Pi Beta Alfa, la asociación estudiantil más snob de la secundaria de Sweet Valley. Elizabeth también era miembro, pero casi nunca iba a las juntas. No le gustaba el ambiente y siempre estaba demasiado ocupada escribiendo *Ojos y Oídos*, la columna del periódico de la escuela.

Ojos y Oídos era una columna que aparecía regularmente y comentaba los temas más candentes y curiosos de la secundaria. Las fuentes de información y el redactor siempre permanecían en el anonimato, aunque ya a estas alturas todos sabían que Elizabeth era la autora.

La columna era ligera y con sentido del humor y Elizabeth había tenido mucho cuidado de no tocar temas que pudieran resultar hirientes, aun antes de que supieran que ella era la redactora. El profesor Collins, asesor del periódico, la había prevenido de los peligros del poder anónimo, consejo que ella recordó cuando se enfrentó a otro tipo de poder anónimo... el que amenazaba con separar a Robin Wilson de las Pi Betas.

Robin se creía la mejor amiga de Jessica, lo que era, en el mejor de los casos, una suposición bastante peligrosa. Elizabeth se dio perfecta cuenta de esto un día que sonó el teléfono de la cocina y era la mamá de Robin, quien buscaba a su hija.

—No, señora Wilson, no la he visto.

—¿Habla Elizabeth? Creo que Robin va para allá para llevarle unas cosas a tu hermana.

—Ah —dijo Elizabeth frunciendo el ceño. Era típico que Jessica utilizara a Robin como mensajera.

—¿Le quieres decir que me llame cuando llegue?

—Claro, señora —dijo Elizabeth.

Luego hubo un silencio. Aunque parecía que la conversación ya había terminado, la señora Wilson no colgaba la bocina. Elizabeth casi podía oírla, al otro extremo de la línea, tratando de decir algo más.

—Elizabeth —dijo por fin la señora Wilson—, ¿podría preguntarte algo? ¿No has notado a Robin un poco... triste? Yo sé que el que sea amiga de ustedes es maravilloso, pero...

Elizabeth se quedó pensando un momento.

—Realmente no sé, yo la siento bien —dijo Elizabeth a falta de algo mejor.

De pronto, Elizabeth se sorprendió... la señora Wilson lloraba.

—Ay, Elizabeth, tienes que ayudar a Robin. Ya no quiere ir a la escuela.

—¿Qué?

—Sí. Aunque a veces no lo parece, está muy triste. Como está un poco pasada de peso cree que no es nada popular —la señora Wilson respiró profundamente y cuando volvió a hablar, su voz sonaba más tranquila—. Elizabeth, ya sé que no es asunto mío, pero ¿crees que Robin pueda entrar a su asociación? ¡Le ayudaría tanto!

—Ya pasaron las nominaciones —dijo Elizabeth— porque la antigua presidenta se fue. Pero como ahora Jessica es la presidenta, puede proponer a Robin en la próxima junta.

—Sí, ya lo sé —suspiró la señora Wilson—, pero...

—¿Pero qué, señora?

—Es que Jessica siempre está tan ocupada que probablemente no se acuerde. No te preocupes, Elizabeth. Por favor dile a Robin que me llame cuando llegue. Y no le digas nada, pues se sentiría muy mal.

Elizabeth colgó el teléfono. Sin embargo, la conversación siguió dando vueltas en su cabeza. ¿Robin Wilson se iba a salir de la escuela? Pero si era una de las chicas más estudiosas de la secundaria de Sweet Valley. Estaba "un poco pasada de peso" como decía su madre; en realidad, un poco más que "poco pasada". Pero siempre era tan cariñosa y amable.

Volvió a sonar el teléfono. Esta vez era su gemela.

—Jessica Wakefield, deberías haber llegado a casa hace una hora para ayudarme a limpiarla —la voz de Elizabeth sonó fuerte y clara.

Después de escuchar las tontas excusas de Jessica unos minutos, Elizabeth interrumpió impaciente.

—Ya sé que siempre tienes cosas *muy, muy* importantes que hacer cuando se trata de trabajar. ¿Ahora qué te pasa? ¿Qué más tienes que hacer además de pasar a la tintorería por tu ropa?

Elizabeth siguió escuchando, pero esta vez comenzó a sonreír.

—¿*Tú* vas a recoger unos libros a la biblioteca? —Elizabeth estaba sorprendida de que su hermana supiera siquiera el camino—. Está bien, Jess, regresa tan pronto como puedas. Mamá dijo que la casa tenía que estar perfectamente limpia para la cena de hoy en la noche.

Antes de que Jessica pudiera responder, Elizabeth colgó, dejando a su hermana a la mitad de una frase. Cuando Jessica hablaba tan rápido, estaba tramando algo. Resistiendo la tentación de averiguar de qué se trataba, Elizabeth se fue a la sala, mientras pensaba si sería mejor aspirar o sacudir.

El sentido del humor de Elizabeth, que se le había ido por un momento, regresó cuando recordó el último intento de su hermana de ayudar con el trabajo de la casa.

—Vamos a dividir el trabajo —había dicho Jessica—. Tú limpias los baños y yo arreglo las flores.

Sola en la sala, Elizabeth se rio en voz alta. Siempre tenía que darle crédito a Jessica.

Elizabeth estaba conectando la aspiradora cuando sonó el timbre. Abrió la puerta. Era Robin Wilson, cargada de libros y bolsas de la tintorería.

—Hola, Elizabeth, ¿está Jessica? —preguntó con timidez.

—¿Qué te hace pensar que no soy Jessica? —respondió Elizabeth sonriendo amablemente.

Robin se sonrojó, incómoda.

—No quiero ofenderte, Liz, pero estoy segura de que Jessica jamás se vestiría así.

Elizabeth miró sus pantalones de mezclilla favoritos y su camisa de franela y comenzó a reír.

—Tienes razón, Robin. Pasa, Jess no tarda en regresar.

Robin se desparramó sobre el sofá, buscó algo en su bolso y finalmente sacó una gran barra de chocolate. Le quitó el papel y comenzó a morderla con voracidad.

—Realmente eres muy afortunada, Liz, de tener una hermana tan sensacional como Jessica —decía, mientras la barra desaparecía a toda velocidad.

—Claro, soy muy afortunada —respondió secamente, como hipnotizada por el rítmico masticar de Robin.

—Robin, ¿no te sientes mal de comer tanto?

—Para nada —dijo Robin mientras se chupaba los dedos sucios—. Sólo aumento unos kilitos, pero de todas maneras, nunca voy a ser tan delgada como tú o Jessica. Creo que es por mis huesos, o mi metabolismo. No sé, pero parece que siempre voy a ser gorda.

Elizabeth miró a Robin sorprendida. Estaba convencida de que su peso se debía a lo que comía... especialmente si esto era una muestra.

Aunque Elizabeth y Jessica no tenían los problemas de obesidad de Robin, siempre se cuidaban. Ambas eran delgadas y hermosas: tenían unos hombros perfectos, pelo rubio matizado, profundos ojos azules y una piel perfecta. Elizabeth era cuatro minutos más grande, pero eran idénticas hasta en el hoyuelo que tenían en la mejilla izquierda. Aunque usaban ropa de la misma talla, nunca se vestían iguales. Lo único idéntico eran las placas de oro que colgaban de sus cuellos y que les habían regalado sus padres el día que cumplieron dieciséis años.

La única manera de distinguirlas era por el lunar que Elizabeth tenía en el hombro derecho. Sus amigos notaban que sólo Elizabeth usaba reloj; era algo muy característico en ella. El tiempo nunca contaba para Jessica, quien sentía que nada sucedía mientras ella no hubiera llegado. Y si se le hacía tarde... pues que esperaran.

Justamente era por esa actitud de "pues que esperen" que Elizabeth estaba furiosa en este momento.

—Mira, Robin, quizá Jessica tuvo algún problema, así es que probablemente prefieras regresar más tarde...

—No te preocupes, Liz —dijo Robin mientras trataba de levantarse de los cojines—. Sólo quería dejarle su ropa y los libros que necesitaba.

¿Tintorería? ¿Libros? Ah, se dijo Elizabeth, seguramente Jessica se traía algo entre manos.

—¿Y por qué le haces las cosas a Jessica, Robin?

—Es que me dijo que tenía algo *muy, muy* importante que hacer. Además, para eso son las amigas... para hacerse favores.

"Ay, Robin", pensó Elizabeth, "si tú eres la mejor amiga de Jessica, yo soy astronauta." Elizabeth sabía que en cuestión de favores, nunca había respuesta por parte de su hermana. Siempre quería que la gente le hiciera favores y ella sentía que estaba siendo amable con "los pobres diablos".

—Ya me voy, Liz. Sólo quería decirte una cosa.

—Ya me lo imagino. Seguramente Jessica no te dio el dinero para la tintorería.

—No, eso no importa. Se trata de Pi Beta Alfa.

—¿Qué hay con PBA?

Robin se sonrojó.

—Es que... pensé que... ya sé que Jessica está esperando el momento oportuno para proponer mi nombre. Ya sé que *quiere* que sea una PBA, pero siempre está tan ocupada con otras cosas importantes que quizá se le olvide que ésta es mi última oportunidad. Ya no puedo entrar el año próximo, así es que es ahora o nunca, Liz, y no sé qué hacer. Es muy importante para mí —dijo, con cara de llanto.

"No llores, Robin, por favor no llores", pensó Elizabeth. Realmente no valía la pena llorar por entrar a un grupo que sólo se la pasaba hablando de belleza y de chicos.

—Robin, estoy segura de que no habrá problema —dijo de pronto y se dio cuenta de que hablaba exactamente como su madre cuando efectivamente *sí* había problemas.

Robin se puso feliz.

—¿En verdad crees que no habrá problema? Digo, creo que ya sé por qué Jessica no me ha propuesto. Sería bastante obvio y un poco feo que propusiera a su mejor amiga.

Elizabeth no daba crédito que la ceguera de Robin le impidiera ver el verdadero carácter de Jessica. Su gemela era muy buena para muchas cosas:

era una excelente bailarina, una maravillosa porrista y una surfeadora sensacional, pero no era nada justa. Jessica podía ser encantadora cuando quería algo, pero molestarse para hacer algo "correcto" o "justo" simplemente no se le ocurría.

—Robin, ¿realmente es tan importante para ti entrar a PBA?

—Claro, Liz. Estaba pensando... ¿no podrías recordarle a Jessica?

Elizabeth miró detenidamente la cara de súplica de Robin. No tendría sentido "recordarle" a Jessica, ya que ésta le había dicho en varias ocasiones que Robin definitivamente no correspondía al patrón de chica PBA: delgada y bonita. Jessica jamás propondría a Robin, no importaba cuántas veces lo hubiera prometido. Y sin embargo, Robin era una linda chica, pensó Elizabeth, y sin duda mucho más lista que la mayoría de las integrantes de la fraternidad. PBA podría tener una nueva imagen, aunque sus miembros no pensaran así.

—Robin, pasado mañana habrá una junta. ¿Qué te parece si en vez de recordarle a Jessica, te propongo yo?

—¿Harías eso por mí, Liz?

Elizabeth se rio.

—Claro, Robin, pero ni pienses que PBA es la gran cosa.

—Liz, eres maravillosa, tan maravillosa como tu hermana. ¿Puedo usar tu teléfono para hablarle a mi mamá? ¡Le va a dar tanto gusto! Quizá hasta me lleve de compras esta tarde. Todas las chicas de PBA tienen ropa tan increíble... me moriría de pena de no estar como ellas.

Robin siguió con su interminable discurso, pero Elizabeth se desconectó mientras la llevaba hacia el teléfono.

"Creo que hice bien", se decía mientras regresaba a la sala. "¿Por qué no va a entrar Robin a PBA sólo porque está un poco gorda? Bueno, muy gorda." Lanzó un suspiro. Sabía que su hermana se enfurecería; es más, seguramente Jessica armaría una de sus pataletas a todo color.

¿Y dónde estaría Jessica? Seguramente con Lila Fowler. Según Elizabeth, una tarde con Lila era tan divertido como pasarse una semana en el consultorio de un dentista. Era la hija del hombre más rico de Sweet Valley, George Fowler, y tanto el padre como la hija eran los más snob de toda la ciudad. Vivían en una elegante mansión en la zona residencial de la colina y Jessica siempre sentía envidia del dinero y la casa de los Fowler... bueno, cuando no estaba envidiando el dinero y la casa de Bruce Patman. Elizabeth consideraba que las rencillas entre los viejos ricos Patman y los nuevos ricos Fowler eran ridículas, pero Jessica no. Viejo o nuevo, el dinero jamás le parecía despreciable.

Elizabeth prefería su casa en desniveles en el valle. Estaba segura de que todo Sweet Valley era precioso, especialmente las suaves colinas, la extraña área del centro y la playa, que quedaba a sólo quince minutos de su casa.

Robin regresó a la sala, feliz.

—Mi mamá está tan emocionada. Siempre me ha dicho que ser la mejor amiga de las Wakefield es muy bueno —dijo mientras buscaba otro dulce en su bolso y comenzaba a quitarle la envoltura.

Elizabeth suspiró. "¿Qué he hecho?"

De pronto, Robin comenzó a abrazarla y besarla en una explosión de entusiasmo y felicidad. Era demasiado para Elizabeth, quien comenzó a reír, mientras la abrazaba y pensaba que si la perspectiva de entrar a Pi Beta podía hacer a alguien tan feliz, con gusto le diría a toda la clase que propusiera a Robin.

Soltando a Elizabeth, Robin le ofreció de su chocolate.

—¿Quieres una mordida?

—No gracias, Robin.

Robin Wilson estaba radiante.

—Bueno, si no te puedo ayudar en nada, ya me voy. Mamá me va a llevar de compras.

—Robin, en verdad no tienes que...

Pero Robin ya estaba en la puerta. La abrió con fuerza y casi se tropezó con Jessica, quien estaba a punto de entrar.

—¡Jessica! —gritó Robin. Elizabeth notó que su hermana se hacía a un lado, molesta por la actitud de Robin.

—Hola, Robin —la absoluta falta de entusiasmo de Jessica era obviamente hiriente... aunque no para Robin.

—Aquenisabes, Jessica. ¡Estoy taaaan emocionada! Tu hermana es tan maravillosa como tú. Me voy porque mamá me va a llevar de compras.

Robin salió rebotando, dejando a Jessica totalmente sorprendida.

—¿Qué le pasa?

Elizabeth no pudo evitar la risa.

—¿Qué hacía esa gorda estúpida poniéndome sus

16

manos encima y haciendo tanto escándalo? —preguntó Jessica.

—Te lo diré, Jess. Pero primero tienes que decirme dónde has estado y no inventes que buscando libros o recogiendo tu ropa de la tintorería, ya que tu mejor amiga Robin lo hizo por ti.

—¿Mi mejor amiga?

—Ella lo cree.

—Bueno, a veces es muy linda. Está bien tener a alguien que te ayude de vez en cuando.

—Que te haga los mandados... que te limpie los zapatos.

—Liz Wakefield, sabes que no cualquiera me limpia los zapatos.

Era típico de Jessica. Elizabeth sería la escritora, pero cuando Jessica necesitaba zafarse de una conversación desagradable, sabía hacerlo con dos palabras. Sin embargo, esta vez no iba a permitirle que se saliera con la suya.

—¿Dónde andabas que no pudiste llegar más temprano para ayudarme a limpiar la casa? ¿Y de dónde sacaste eso?

—¿Quieres decir, esto? —dijo Jessica como obnubilada, mientras tocaba la hermosa bufanda de seda azul zafiro que llevaba al cuello.

—Sí, *esto*. ¿De dónde lo sacaste?

—Me lo dio Lila Fowler.

—Otra vez en casa de Lila. ¿Eso era lo importante?

—Da la casualidad que Lila Fowler es la chica más popular de la secundaria de Sweet Valley, Liz, y tú lo sabes. Su tía le mandó esta bufanda de Nueva York, pero como éste no es un color que le vaya muy bien, me la regaló.

Elizabeth sacudió la cabeza. La bufanda era realmente hermosa, y por supuesto muy cara. "¿Compartirán los ricos sus cosas siempre así?", se preguntaba.

Miró a Jessica, que le lanzaba una sonrisa de oreja a oreja.

—Jess, no me molesta que tengas una bufanda nueva, pero no me gusta que me dejes sola para hacer toda la limpieza... y para entretener a tu mejor amiga.

Jessica alzó sus hermosos ojos al techo.

—No es posible que Robin se sienta emocionada quinientas ochenta veces al día. ¿Y ahora qué le pasaba?

—No mucho. Por lo visto estás siempre tan ocupada que nunca te acuerdas que ella se muere por entrar a PBA.

—Uf —dijo Jessica—, y se me seguirá olvidando.

—Mmm, ya veo. Y es su última oportunidad.

—¿Ah sí? —preguntó Jessica con una cara de absoluta inocencia.

—Así es que como sé que la vas a proponer cualquier día de estos, le prometí que yo lo haría la próxima junta.

Jessica se quedó con la boca abierta.

—¿Le prometiste *qué*? ¿Estás loca?

Ahora fue Elizabeth quien puso cara de absoluta inocencia. No había vivido dieciséis años junto a su hermana sin aprender algo de ella.

—¿Qué quieres decir, Jess?

—¿Esa bola de grasa en Pi Beta Alfa?

—Pero, Jess, ella es tu mejor amiga. Me lo dijo.

—Eso no tiene nada que ver. Hay un problema de... imagen.

Elizabeth no iba a dejarse convencer. ¿Imagen?

—Eso no parece molestarte cuando se trata de que te cargue los libros o te recoja la ropa de la tintorería.

—Me gusta ser amable con todo el mundo, Elizabeth —dijo Jessica con voz melosa—. Ya lo sabes. Pero... ¿proponerla para PBA? Además, Robin sólo está interesada en estudiar. Está tomando como ochenta mil cursos y realmente no creo que PBA sea lo mejor para ella.

Cualquiera que no fuera Elizabeth se hubiera convencido de que lo primero que le preocupaba a Jessica era el bienestar de Robin.

Sin embargo, Elizabeth no estaba dispuesta a ceder.

—Bueno, pues sí es importante. Nunca he visto a nadie tan contenta como Robin cuando le dije que la propondría.

Elizabeth estaba tranquila, pero Jessica no. A estas alturas ya había dejado de fingir y rugió completamente enfurecida:

—Sólo esto me faltaba —se lamentaba—. ¿Cómo es posible que mi propia hermana, mi hermana gemela, sea tan absolutamente estúpida?

Elizabeth dejó escapar un suspiro.

—¿Hice algo mal?

—Es lo más idiota que he oído. Robin Wilson como integrante de Pi Beta. Con nosotros. Con Lila Fowler. Nada más ve su figura... al rato nos van a llamar las Pi Bolas Alfa. De verdad, Liz, parece que vives fuera de este planeta.

—Si PBA es una fraternidad de lo más tonta...

Esto era demasiado para Jessica, quien se quedó muda.

—Jessica, por favor, no te quedes pasmada. Ya le prometí y una promesa es una promesa. Robin Wilson va a ser una PBA.

—¿Ah sí?

Elizabeth miró a su hermana, tratando de obtener alguna respuesta, pero Jessica ni siquiera la miraba.

—Mira —dijo por fin Elizabeth—, si yo la propongo y tú eres la presidenta de Pi Beta *y* su mejor amiga, por supuesto que va a entrar.

La única respuesta de Jessica fue sacudir la cabeza y salir enfurecida hacia su cuarto. Después de que azotó la puerta, Elizabeth creyó escuchar la respuesta:

—Ya lo veremos.

Dos

—Ahora pasaremos a los asuntos del día.

Jessica miraba a todas las integrantes de Pi Beta que hablaban, se miraban en espejos o se cepillaban el pelo pero que, en general, no le ponían atención. Si había algo que Jessica no soportaba era justamente que la gente no le pusiera atención.

Intentando fingir su voz más calmada, repitió:

—Ahora pasaremos a los asuntos del día.

Como vio que su hermana aún no llegaba, Jessica decidió hacer la junta más breve que de costumbre para evitar el penoso asunto de Robin.

—Como no hay nada pendiente y nadie hizo minuta de la junta anterior, no hay nada que leer. Además, todas saben que tenemos treinta y siete dólares con cincuenta centavos en caja, así es que no hay necesidad de que la tesorera lea su informe. Y si nadie tiene nada pendiente, podemos...

—¿Ya vamos a pasar a los nuevos asuntos? —interrumpió Elizabeth, mientras entraba al salón casi sin aliento—. Siento llegar tarde, pero me retrasé en el periódico.

Todas, menos Jessica, se sorprendieron de ver a Elizabeth en una junta. Hacía años que no aparecía. Las demás integrantes sabían que no le importaba mucho PBA, pero a nadie le molestaba, ya que era una chica sensacional, que escribía muy bien en el periódico y que daba buena imagen a la asociación. Además, era la hermana de la presidenta, quien por cierto parecía tener mucha prisa por terminar la junta.

—Liz, llegaste muy tarde y ya casi terminamos —dijo Jessica secamente.

—¿Pero no estabas diciendo que apenas iban a ver los asuntos del día? —respondió Elizabeth con gran dulzura, mientras lanzaba a su hermana una mirada amenazante.

Jessica entendió el mensaje.

—Bueno, si tienes algo absolutamente importante que decir, creo que puedes hacerlo.

Elizabeth se volteó hacia el grupo.

—Sí, tengo algo importante que decir. Me gustaría proponer a alguien para que ingrese a Pi Beta... se trata de una amiga mía, que también es una *muy buena* amiga de mi hermana... Robin Wilson.

Se hizo un absoluto silencio, seguido de un escándalo.

—¿Robin Wilson una de *nosotras*?

—Es esa gordita, ¿verdad?

—Si Liz la propone, ha de valer la pena.

—¿Estás segura que no está bromeando?

22

Con los labios apretados y la mirada centelleante, Jessica dejó que los comentarios siguieran otro rato. Después, volvió a llamar al orden.

—¿Hay alguna objeción para que Robin Wilson sea aceptada en Pi Beta Alfa?

Por supuesto ya sabía la respuesta. Nadie osaba rechazar a una amiga de las gemelas Wakefield y Jessica no se atrevía a decir lo que pensaba. Elizabeth la mataría y si Robin se enteraba, ya no tendría sirvienta.

Cuando terminó la junta, Jessica se acercó a su hermana, lanzando chispas azules por los ojos.

—¿Ya estás satisfecha, doña Soylaniñabuena?

Elizabeth se encogió ante la furia de su hermana.

—Mira, Jess, ni que fuera el fin del mundo. Será sensacional que entre a PBA.

—¡Pruébamelo! —la interrumpió Jessica.

—Robin es muy linda y además muy estudiosa.

—Y está envuelta en dos toneladas de grasa.

—¿Dos toneladas, Jess? —Elizabeth se rio—. Realmente no veo cómo alguien tan linda como Robin pueda estropear la maravillosa imagen de PBA.

Jessica entrecerró los ojos.

—No seas sarcástica, Elizabeth. Realmente no te queda. Y si fuera tú, no me sentiría tan segura.

Esta vez fue Elizabeth quien se quedó pensativa.

—¿Y qué quieres decir exactamente, Jessica?

—Ah, nada, hermanita —contestó Jessica despreocupada—. ¿Ya se te olvidó que para poder entrar a Pi Beta tienes que hacer algunos... méritos, antes de que todas voten a tu favor?

—Jessica Wakefield, te advierto que si haces algo...

—Liz, me ofendes. ¿Cómo crees que podría hacer algo ruin? Realmente deberías controlar esa mente

tan creativa. Lo que quise decir es que me voy a ase-
gurar de que Robin demuestre ser digna de entrar a
PBA. Así que Lila Fowler, Cara Walker y yo le servi-
remos de guías durante su periodo de iniciación.

—¡Qué suerte para Robin! —murmuró Elizabeth.

—Alguien tiene que darle la buena noticia. Vamos a ir las tres. ¿Quieres venir con nosotros?

Elizabeth sacudió la cabeza.

—Tengo que ver a Todd. ¡Qué lástima! Me en-
cantaría estar ahí cuando le den la noticia... va a dar
diez vueltas de carro.

—¿Qué suerte? —replicó Jessica, que viendo la
cara de desagrado de su hermana, continuó—: Por
supuesto no voy a herir sus sentimientos, ya sabes
que no es mi carácter, aunque se trate de una tonta
como Robin.

—Claro, Jess, tienes fama de ser la campeona
mundial de amabilidad.

—Qué buen comentario —repuso Jessica, mientras se dirigía a la puerta.

Media hora después, las tres chicas tocaban el timbre de la casa de los Wilson.

—No creo que haya nadie, Jess.

—No seas tonta, Cara —interrumpió Jessica—.
¿Dónde más van a estar?

En ese momento Robin abrió la puerta, casi
arrancándole los goznes de la emoción.

—¡Jessica, Lila, Cara! ¡Qué sorpresa!

Jessica estaba posesionada de su papel de presidenta.

24

—¿Podemos entrar, Robin? Tenemos algo importante y fundamental que comunicarte.

—Claro, Jessica, entren. Es increíble que vengan y... ¿Quieren algo? ¿Un refresco? Tenemos unos *éclairs* maravillosos. ¿O prefieren unos sandwiches de helado? —el interminable parloteo de Robin evidentemente molestaba a Jessica e hizo bostezar a Cara y Lila.

"¿Qué me pasa?", pensó Robin, dándose finalmente cuenta de sus reacciones. "¿Por qué siempre digo mal las cosas justamente cuando quiero impresionar a la gente?"

—Oh, lo siento —dijo en voz alta—. Ya sé que no tienen tiempo de oírme hablar de comida.

Asumiendo su mejor pose de presidenta de la fraternidad, Jessica anunció:

—Robin, eres muy afortunada, pues tu nombre ha sido propuesto para que entres a Pi Beta Alfa; ahora eres candidata oficial.

La sonrisa de felicidad de Robin era tan enternecedoramente sincera y agradecida que casi hizo a Jessica cambiar sus planes. Casi...

—Ay, Jessica, gracias. Y gracias a ustedes también. Es tan increíble que me suceda a mí. ¿Cuándo empiezo? ¿Qué tengo que hacer?

Con un gesto, Jessica trató de apagar un poco el entusiasmo de Robin.

—Ya sabes, Robin, que ser miembro de PBA no sólo es usar un saco especial y pasar el rato con la mejor gente de la escuela, o asistir a los mejores eventos de Sweet Valley. Tienes que probarnos tu lealtad.

—Siempre seré leal a Pi Beta Alfa —juró Robin—. Toda mi vida.

—Es muy fácil decirlo —interrumpió Cara burlona.

—Tiene razón —dijo Jessica—. Quizás te sea demasiado difícil hacer algunas cosas que se te pidan.

—Nada será demasiado difícil, Jessica... nada. No importa lo que sea.

Era como quitarle un juguete a un niño. Jessica se lanzó a fondo.

—Muy bien. Mañana, después de la escuela, nos vemos en el gimnasio de mujeres. No vayas a llegar tarde.

Cuando las tres chicas se levantaron, Lila le susurró a Jessica:

—Qué existencia tan miserable. Vámonos antes de que nos ofrezca otro *éclair*.

Robin cerró la puerta, en la emoción total, y se lanzó a la cocina. Sacó del refrigerador un pastel de cerezas con queso y comenzó a comer para calmar sus nervios. ¡Por fin! Ella, Robin Wilson, formaría parte de Pi Beta. Por fin sería popular. Lo único que tenía que hacer era pasar la prueba. ¿Qué tan difícil sería?

—Cuéntame todo, Jess. ¿Cómo tomó Robin las noticias? —Elizabeth dejó sus libros sobre la mesa y se acercó a Jessica quien, enfundada en unos leotardos, hacía los ejercicios que Jane Fonda iba dirigiendo por la videocasetera.

—¿Crees que mis muslos estén bien, Liz? —preguntó preocupada, apagando la televisión y colocando la toalla alrededor de su cuello. Decidió hacer cincuenta sentadillas más por si las dudas.

—No me importan tus muslos. ¿Qué pasó con Robin?

—Los muslos *siempre* son importantes. Robin recibió la noticia con ofrecimientos de comida y de lealtad de lo más desagradables. Creo que quiere que todas estemos tan gordas como ella.

—¡Jessica!

—Bueno, bueno, la albóndiga está feliz. ¿Ya? ¿Te importa si termino con mis ejercicios?

—Para nada —dijo Elizabeth al tiempo que miraba de reojo a su hermana—. ¿De dónde sacaste todo ese oro, Jess?

—¿Oro? ¿Qué oro? —preguntaba Jessica mientras se limpiaba la cara con la toalla.

—Los aretes que traes puestos... por lo menos cuestan diez veces más de lo que te dan mis papás a la semana y que además te acabas de gastar en discos.

Jessica palpó con delicadeza los aretes.

—¿Estos? Ah, no seas tonta, por supuesto que no los compré. Se los envió a Lila su tía, pero como no le gustaron mucho, pues... ya son míos. ¿No te parecen preciosos?

—Sí, preciosos —decía Elizabeth mientras subía las escaleras. De pronto, se detuvo—: ¿No te parece bastante extraño que Lila se vuelva tan generosa de pronto?

—No te enojes, hermana. No tiene nada de malo aceptar regalos de una buena amiga.

—Quizá no... bueno, tengo que hacer una tarea de historia —dijo mientras siguió subiendo las escaleras.

—Por cierto, Liz —dijo Jessica como sin querer—, algo interesante va a suceder mañana.

—¿Qué estás tramando, Jess?

—Nada, nada, pero ojalá que puedas ir a la pista de carreras después de la escuela.

Elizabeth llegó volando a su locker al día siguiente por la tarde, justamente cuando Todd Wilkins, su novio, caminaba hacia el suyo.

—Date prisa, Todd. No quiero llegar tarde.

—¿Para qué tanta prisa? Ya se acabaron las clases... tranquila.

Tomó a Liz por la cintura y la atrajo hacia él.

—Además, tengo la receta perfecta para relajarte.

Elizabeth se derritió, mientras Todd acariciaba sus labios.

—Liz —murmuró Todd—, vamos a caminar un rato. Quiero estar solo contigo.

—Ay, Todd, no puedo —dijo al recordar de pronto la frase de Jessica de que "sucedería algo interesante"—. Creo que estoy en problemas.

Todd levantó con un dedo la cara de Liz y se dio cuenta de que su mirada era de preocupación. Decidió que necesitaba un poco de ánimo.

—No me digas nada, déjame ver tu futuro.

Cerró un poco las manos, como si estuviera sosteniendo una bola de cristal.

—A ver... a ver... tu problema comienza con una *J* y es casi tan hermosa como tú.

—No seas tonto, es algo serio. Y no comiences a hablar mal de mi hermana, ella es sólo parte del problema —lanzó un largo suspiro—. Está bien, Jessica es el problema, pero no tengo tiempo de explicarte; tenemos que ir a la pista de carreras en este momento —lo jaló por el pasillo hasta la puerta principal de la escuela.

—Por lo menos dame una pista —decía Todd casi sin aliento—. ¿Qué pasa con Jessica? ¿Por qué estás tan preocupada?

—No sé, por eso estoy tan preocupada. Date prisa, Todd.

—Ya voy, ya voy. ¿Por qué habrá tanto ruido en la pista?

Comenzaron a correr y llegaron al momento de ver a Robin Wilson, escurriendo sudor, pasar frente a ellos.

—¿Pero qué...?

Las gradas estaban parcialmente ocupadas por alumnos, algunos de los cuales daban ánimos a Robin, y la mayoría miraba con curiosidad cómo la pobre chica corría pesadamente por la pista.

—¡Todavía te falta, Robin!

—No te caigas, Wilson, o abollarás el piso.

Elizabeth volteó al escuchar este comentario, con la intención de callar al imbécil que lo había hecho. Era ni más ni menos que Bruce Patman, quien estaba recargado en su porsche negro y miraba hacia la pista con gran desprecio.

—¡Cállate cretino! —dijo furiosa, mientras volteaba a ver a Todd—. Estoy a punto de matarlo.

Elizabeth se acercó a Lila y a Cara.

—¿Pero cómo pueden hacerle esto a Robin... a alguien?

—Hola, Liz. Bienvenida a las olimpiadas de los gorditos —gritó una voz conocida.

Esto hizo que Lila, Cara, Bruce y los demás que estaban más o menos cerca comenzaran a reír.

—Jessica Wakefield. Esto es increíble —decía Elizabeth fuera de sí. Jessica estaba sentada a un lado, ignorando a propósito a Bruce, con quien había terminado hacía unos días. Su increíble egoísmo la había convertido casi en su sirvienta y cuando Jessica lo sorprendió con otra chica, soltó toda su furia contra él.

Ni siquiera le respondió a Elizabeth.

—¿No crees que la pobrecita de Robin se ve *très chic* con sus shorts grises que hacen juego con la sudadera? —secundó Lila—. Le queda perfecto a su cuerpo redondo, *n'est-ce pas?*

El grupo volvió a reír; Elizabeth estaba furiosa.

—Las tres son... ya saben lo que son —gritó mientras corría hacia Robin, quien se apoyaba en una barda.

Elizabeth había corrido unos cuantos metros cuando escuchó de nuevo la voz de Jessica.

—Tal vez si le das unas ciento ochenta vueltas a la pista todos los días, durante los próximos cinco años, rebajes un poco de grasa.

Elizabeth llegó con Robin justamente en el momento en que la recién nominada para PBA comenzaba a respirar de nuevo.

—Robin, ¿estás bien? Te ves muy mal.

—Nunca me he visto bien de shorts, Liz.

—No, no, Robin, me refiero a que te ves muy cansada. ¿Por qué lo hiciste?

Robin se quedó perpleja.

—¿Por qué? Pues porque ya sabes que uno tiene que pasar algunas pruebas para demostrar su lealtad a Pi Beta Alfa. Además, no está tan mal. Sólo tengo que darle cinco vueltas a la pista durante una semana.

—¿Una semana? Robin, no puedes hacerlo. Entrar a PBA o a cualquier fraternidad no es tan importante, créeme.

—¿Que no es importante? —Robin se irguió—. Claro que es importante, por lo menos para mí. Daría lo que fuera por pertenecer a PBA.

Elizabeth esperaba en el vestidor de mujeres a que Robin regresara de su último día de carrera.

—Robin, en verdad eres ejemplar. Realmente eres increíble.

—Gracias —respondió Robin sin ánimo.

—¿Gracias de qué? ¿Qué pasó con tu sonrisa? ¿Dónde está tu entusiasmo? Deberías estar feliz, Robin. No creo que pueda haber algo peor que lo que has pasado esta semana.

—El sábado.

—¿El sábado?

Los grandes ojos cafés comenzaron a llenarse de lágrimas mientras miraban a Elizabeth.

—La carrera estuvo pesada, Liz, pero pude hacerlo. Lo que no sé es si podré hacer lo del sábado.

—¿Qué va a pasar el sábado? —preguntó Elizabeth temerosa.

Robin lloraba desconsolada.

—Robin, dime.

Entre sollozos, Robin dijo:

—Tengo que ir a la playa.

—¿Y de qué te preocupas? Eres buena nadadora, te he visto. No habrá problemas. Me preocupaste... casi pensé que tenías que trepar el Everest.

—Preferiría hacer eso, Liz. No sé cómo voy a ir a la playa el sábado en... en bikini. Y tengo que jugar volibol.

"Ay, Dios", pensó Elizabeth, "esto sí que es un problema."

—¿Tienes bikini, Robin? —le preguntó con dulzura.

—Bueno, uno que parece...

—¿Que parece bikini?

Dándose la vuelta, llena de vergüenza, Robin dijo entre dientes:

—Bueno, es un traje de dos piezas, pero como me queda chico, parece bikini.

Elizabeth miró al piso, pensativa, y tomó una decisión.

—¿Sabes, Robin? Todd y yo vamos a ir a la playa con Enid y George. Siempre jugamos volibol. ¿Quieres ser de nuestro equipo?

—¿En verdad? —preguntó Robin con tal cara de agradecimiento que Elizabeth se sintió conmovida.

—¡Claro! Pasaremos por ti.

—A lo mejor llueve...

—No va a llover, Robin. Además, nos divertiremos —"También las otras tres brujas", pensó.

El sábado hacía un hermoso día lleno de sol, como sucedía siempre en Sweet Valley. Elizabeth sabía que sería un día difícil para Robin... y para ella.

Cuando Todd llegó por ella, lo saludó con una sonrisa especial y un abrazo. Era maravilloso poder pasar los días libres con él. Rápidamente se subió al auto y le explicó a Todd las cosas.

—¿Ayudarás? —preguntó Elizabeth adivinando la respuesta.

—Por supuesto, ¿qué te hace dudarlo? —dijo Todd mientras besaba su nariz suavemente, antes de encender el auto.

Robin, avergonzada y sonrojada, se quitó la salida de playa que más bien parecía tienda de campaña y lució su ajustado dos-piezas ante la divertida multitud sabatina.

Robin aguantó el interminable día, ayudada por Elizabeth, Todd, Enid y George. La hicieron reír bastante y siempre la acompañaron al mar.

El partido de volibol fue el momento más difícil para Robin. Bruce Patman, animado por Cara y Lila, estaba obviamente fascinado de tirarle una pelota tras otra a Robin. Jessica no animó a Bruce, pero hizo lo posible por enviarle a Robin varios tiros difíciles.

—Ahí la llevas, Wilson —se burlaba Bruce—. Cualquiera se asustaría de ver tus movimientos.

Sin embargo, Robin libró el día.

—Tenías razón, Liz, *pude* hacerlo.

—¿Ves, Robin? Bueno, te dejaremos a ti primero.

—No te preocupes, Liz. Jessica y Lila me llevarán a casa.

"¡Qué maravilla!", pensó Liz.

—Realmente estamos impresionadas contigo, Robin.

Robin se quedó muda; era increíble que Jessica le dijera algo favorable.

—Has hecho todo lo que te hemos pedido... bastante bien.

Robin no daba crédito. Se lanzó a abrazar a Jessica.

—Espera, Robin —dijo Jessica haciéndose a un lado—, sólo falta *una* cosa que tienes que hacer para demostrar tu lealtad a PBA.

—Lo que sea, Jessica.

—Tienes que ir al Discomaratón del sábado próximo con Bruce Patman.

Tres

Elizabeth estaba a punto de salir de la escuela cuando vio la triste figura de Robin Wilson toda encorvada, apretando las rodillas contra el pecho. Sus libros estaban tirados sobre el césped.

Elizabeth se acercó y vio a Robin desesperada. ¿Por qué no se sentiría contenta? Había cumplido con todas las pruebas que Jessica, Lila y Cara le habían impuesto. Casi se había visto como la Mujer Maravilla. No habían podido con ella. "Bueno, no todavía", pensó Elizabeth, sintiendo de pronto una leve ansiedad.

Robin Wilson estaba resultando una excelente candidata a PBA, si es que la voluntad y la determinación contaban para algo. Elizabeth no podía sobreponerse al sentimiento de culpa por haber propuesto a Robin. Quizá había sido un gran error, ya que Jessica, Lila y el resto acabarían por hacerla pedazos.

—¿Cómo vas, candidata Wilson?

Robin la miró, con los ojos llenos de lágrimas. Su barbilla comenzó a temblar sin control.

—Robin, ¿por qué lloras?

—Ay Dios, Elizabeth —se lamentaba—, ahora sí no tengo salida.

—¿De qué hablas, Robin? ¿Qué salida?

—Nunca lograré entrar a PBA.

Elizabeth suspiró aliviada. ¿Eso era todo?

—Claro que sí. Todos están sorprendidos de lo que has hecho.

—¿Tú crees? —gimoteó.

—Pero, claro. No te hubiera propuesto, si hubiera creído...

—Nunca pensé que me hicieran hacer tantas cosas... tan terribles —lloraba Robin con una mezcla de enojo y desesperación—. Nunca se lo habían pedido a nadie.

"Cómo me gustaría hacerles algo a esas snobs", pensó Elizabeth.

—Bueno, Robin, quizá es porque saben que tú puedes hacerlo.

—Ya hice bastante —dijo de pronto, con gran fuerza en la voz—. Claro que hice bastante.

Elizabeth se sintió contenta de ver que por fin Robin mostraba un poco de amor propio.

—Pero esta vez sí me arruinaron, Liz. A veces siento que solamente quieren lastimarme y que nunca me dejarán ser una PBA.

—¿Quién te propuso, Robin? Yo, Elizabeth Wakefield. ¿Crees que yo puedo estar involucrada en algo así?

Robin se quedó pensando.

—Realmente no sé.

—Pues yo sí, y quiero ayudarte. No te preocupes; serás una Pi Beta si de mí depende. Te lo prometo.

—Pero Liz, quieren que vaya... ay Dios... que vaya al Discomaratón del sábado con Bruce Patman.

—¿Con quién? —"Espero haber oído mal. No es posible", se dijo.

—Bruce Patman.

Elizabeth se sintió deprimida.

—Casi preferiría decirle a Elvis Presley.

—Robin —le recordó Elizabeth amablemente—, Elvis Presley ya se murió hace muchos...

—Por eso, sería más fácil ir con un ídolo muerto que con Bruce Patman.

"¿Cómo pueden hacerle eso a Robin?" Elizabeth estaba furiosa y antes de que supiera lo que estaba haciendo, dijo:

—Robin, ve a invitarlo. Seguro te va a decir que sí.

—¿Qué?

Elizabeth pensaba: "Liz, ahora sí exageraste."

—Liz, estás loca.

—Bruce Patman se sentirá feliz de ir a la fiesta contigo. Eres una de las chicas más lindas y estudiosas de Sweet Valley...

Robin la miraba, llena de asombro.

—... y de lo más cálida.

Robin volvió a mirar al piso.

—Gracias, Liz, eres muy amable. Pero a los chicos como Bruce no les interesa eso. ¿Yo invitar a Bruce Patman? Ni soñarlo.

—Prométeme que lo invitarás.

—Una cosa es pensar positivamente Liz, pero esto es una locura.

—Prométeme.

—Bueno, sí... pero él nunca...

—Robin.

—No, no va a...

—Robin.

Robin encogió los hombros, resignada.

—Bueno, me lanzaré.

Lentamente se levantó, recogió sus libros y tratando de quitar un poco las arrugas de su vestido rojo, se fue caminando pesadamente por el césped, con la cabeza baja.

Elizabeth la observó, mientras se preguntaba cómo era posible que Jessica le hubiera pedido eso. Lo peor era que se preguntaba cómo podía haberle sugerido a Robin que invitara a Bruce. Pero no soportaba la cara de Robin. "¿Y ahora qué haré?", se preguntaba Elizabeth angustiada. "Tú metiste a Robin en este lío."

—Bueno, ni hablar —dijo en voz alta—. Pero, ¿cómo lograré que Bruce Patman...?

Y hablando del rey de Roma, ahí estaba, lanzando una bola de tenis con golpes certeros. Bruce Patman estaba orgulloso de tres cosas: su porsche negro, su guapura y sus tenis. Elizabeth se quedó pensando cuál de las tres sería su punto más débil.

Corriendo ágilmente por la cancha, con sus shorts de diseñador, Bruce lanzó un tiro corto hacia su adversario, un alumno de segundo año que quería entrar al equipo de la universidad.

—Vaya tiro —dijo Bruce con una cálida sonrisa.

—¡Vaya tiro! —dijo una voz con tono de admiración.

Cuando Bruce volteó hacia arriba, vio a la hermosa Jessica Wakefield. "Vaya, vaya", pensó. "Quizá Jessica quiere salir otra vez conmigo."

—Ya veo que estás ayudando a otro pobre infeliz a que no entre al equipo de la escuela —dijo la hermosa gemela Wakefield y Bruce se dio cuenta inmediatamente que no era Jessica.

—Hola, Liz —dijo, mientras miraba al contrincante correr tras la bola—. Parece que todavía le falta un poco.

Se dirigió a la alambrada, acomodándose el pelo al caminar.

—¿Qué te trae por aquí, Liz? ¿Cómo va el periódico?

—Muy bien.

—¿Y cuándo va a publicar *El Oráculo* algo decente sobre la estrella del equipo de la universidad?

—¿Y quién es la estrella? —preguntó Elizabeth con cara de inocencia.

Bruce se sonrojó.

—Vamos, Liz, ya sabes que soy el campeón en *singles*, el campeón de toda la zona, por si acaso no lo has leído en los demás periódicos. ¿Por qué siempre me cortas?

"Porque te hace mucha falta", pensó Elizabeth. Sin embargo, respondió:

—Estaba pensando escribir algo sobre ti. John Pfeifer es el editor de la sección deportiva, pero estaba pensando escribir un artículo sobre el lado humano del tenis.

—¿En verdad?

La combinación de *humano* y Bruce Patman casi hizo que Elizabeth sintiera náuseas, pero al recordar la triste cara de Robin, decidió seguir adelante.

—Sí, he estado pensando en un artículo sobre alguien que haga una buena obra por alguien más y nunca se lo diga a nadie.

Bruce se sintió sorprendido. Se rascó la cabeza.

—No te entiendo, Liz. ¿Quieres escribir sobre mí o sobre alguien que hace obras buenas?

Todo parecía ir a la perfección. La naturaleza egoísta de Bruce no le permitía imaginar siquiera que él pudiera hacer algo por alguien.

Elizabeth estaba a punto de darse media vuelta, pero de nuevo la cara de Robin apareció frente a ella. Tendría que decírselo claramente.

—Mira, Bruce. ¿Qué te parecería si alguien hiciera una buena obra por ti? ¿Crees que tú podrías hacer algo a cambio?

—Bueno, tal vez. Depende...

—Supón que alguien escribe un reportaje sobre ti en *El Oráculo*...

Bruce sonrió.

—¿Diciendo que soy el mejor en *singles* y cómo acabé a la estrella de la secundaria de Palisades?

—Claro.

—¿Y quizá de cómo John McEnroe comienza a preocuparse? ¿Qué foto necesitas?

—Vamos a ver, Bruce. Si alguien escribe sobre ti ...

—¿Con foto y todo?

—Con foto y todo. ¿Le harías a alguien un favor a cambio?

—¿Qué favor?

Elizabeth respiró profundamente.

—Ir con una chica al Discomaratón el sábado.

La reacción de Bruce tomó a Elizabeth por sorpresa. Sonrió, se irguió y le lanzó una larga mirada.

—Por supuesto que iría contigo, Liz.

—¿Conmigo?

—Siempre supe que te gustaba. Tú también me gustas.

"Cálmate", se dijo Elizabeth tratando de tranquilizarse.

—Qué lindo, Bruce —dijo sonriendo forzadamente—, pero ya tengo con quién ir. ¿Irías a la fiesta con Robin Wilson?

Bruce comenzó a reír.

—Bruce —se molestó Elizabeth—, estoy hablando en serio.

Bruce siguió riéndose por un momento, en tanto observaba la expresión de Elizabeth. De pronto, la sonrisa se cambió por una furiosa mirada.

—¿Con la Albóndiga Wilson?

Elizabeth sintió que el estómago le daba vueltas, pero continuó:

—Es una prueba que tiene que hacer para entrar a PBA y es muy importante para ella.

—Para nada. ¿Qué van a pensar de mí? ¿Qué van a pensar las *chicas*? Además, ¿por quién me tomas?

Elizabeth sonrió.

—Tú eres el campeón en *singles*... y ¿quién es el segundo lugar? ¿No es Tom McKay?

—¿El segundo lugar?

—El también ha ganado todos los partidos este año...

Bruce Patman le dio vueltas a su raqueta. Movía la cabeza de un lado para otro, como tratando de tomar una decisión. Finalmente, dijo:

—Muy bien, pero quiero el reportaje con foto, y con foto grande. Y menciona cómo acabé con el tipo de Palisades.

—Trato hecho. No te arrepentirás... estás haciendo algo bueno por una persona muy buena.

—Ya párale, Liz. Te apuesto que uno de los dos se va a arrepentir de haber hecho este trato —dijo mientras se alejaba hacia la cancha—. ¡Listo!

El otro chico lanzó un globito sobre la red. Fue un error, porque Bruce movió la raqueta y lanzó una bola que le pasó silbando por la cara.

Cuando llegó a su casa, Elizabeth se sentía feliz. Hasta pensó que era divertido ver cómo les ganaba la partida a Jessica y a las otras integrantes de PBA... mientras les ganara, claro.

Jessica bajó corriendo las escaleras en un pequeño bikini blanco hielo y se dirigió hacia la piscina. Por supuesto que con ese cuerpo, jamás tendría que pasar las vergüenzas que había pasado la pobre Robin en la playa. No le haría mal a Jessica ver las cosas desde esa perspectiva, de vez en cuando, pero sería tanto como pedirle peras a un olmo.

—¿Cómo está Robin? —preguntó alegremente Elizabeth.

Jessica fingió absoluto desinterés.

—Ay, no sé. La pobre hace su mejor esfuerzo, pero no creo que lo logre.

—¿Por qué no? Ha hecho todo lo que le han pedido.

Jessica lanzó una enigmática sonrisa.

—Sí... hasta ahora...

Elizabeth sonrió maliciosa.

—Pues si ha podido hasta ahora, no veo por qué no pueda hacer lo demás.

—¿Quieres apostar?

—¿Qué apostamos?

—Dos semanas de lavar la ropa.

—Hecho.

Elizabeth sacudió la mano de Jessica para sellar el trato.

Jessica se rio.

Elizabeth se rio también.

Luego Jessica salió por la puerta trasera y Elizabeth escuchó un chapuzón. Mientras subía las escaleras, iba recordando la sonrisa triunfal de su hermana. Se detuvo a la mitad, al ver entrar a Lila Fowler.

—Hola, Liz, ¿está Jessie?

—Está en la piscina —dijo Elizabeth mientras continuaba subiendo la escalera. De pronto la asaltó una duda.

—Por cierto, Lila, ¿cómo está tu tía?

—¿Qué tía?

—La que vive en Nueva York, que es fanática de las compras.

—¿Estás tomando calmantes, Liz? No entiendo nada de lo que dices.

"Paciencia", se dijo Elizabeth.

—Tu tía, la generosa, la que te envía regalos carísimos —"Que tú le pasas a mi hermana", estaba a punto de añadir.

—No sé de qué me hablas.

De pronto, se quedó mirando a Elizabeth y con voz poco convencida dijo:

—Ah, mi tía, está muy bien, gracias.

Lila comenzó a alisarse nerviosamente el pelo. Elizabeth notó el anillo.

—Vaya, Lila, qué anillo traes.

—Está lindo, ¿verdad? —extendió la mano para que Elizabeth pudiera verlo mejor.

Elizabeth miró el anillo de oro. Tenía la cabeza de un faraón egipcio finamente labrada.

Lila comenzó a golpear el piso con el zapato, en señal de impaciencia.

—Me gustaría llegar a la piscina antes de que oscurezca. ¿Ya terminaste de ver mi anillo?

—Sí, Lila.

Cuando Lila salió, Elizabeth sintió un extraño presentimiento. Estaba segura que no había ninguna tía en Nueva York, así es que ¿cómo había conseguido Jessica la bufanda y los aretes? ¿Estaría Lila tratando de ocultar su generosidad, o de comprar la amistad de Jessica? Quizá había una explicación bastante sencilla, se decía Elizabeth, tratando de calmar su inquietud. Pero, en el fondo, tenía el presentimiento de que se avecinaban problemas.

Cuatro

—¿Hola?

—Robin, soy Liz Wakefield. ¿Ya cumpliste tu promesa?

—¿Qué promesa?

—¿Ya le dijiste a Bruce Patman del Discomaratón?

Silencio.

—Robin.

—Elizabeth, ¿cómo pueden hacerme eso? Me voy a sentir completamente humillada.

—Mira, Robin —dijo Elizabeth con firmeza—, da la casualidad que *sé* que Bruce irá contigo a la fiesta. Le dijo a alguien que sí lo haría.

Primero hubo un absoluto silencio, seguido de un:

—¿Quién te lo dijo? ¿Quién pudo decir eso?

¿Cómo iba a decir eso Bruce? No puede ser, son mentiras.

Elizabeth soltó la carcajada ante la explosión incrédula de Robin.

—¿Por qué te ríes de mí?

—Ay, Robin, no me estoy riendo de *ti*. Te estoy diciendo que Bruce irá contigo. Lo único que tienes que hacer es invitarlo.

—¡Prefiero irme nadando hasta Hawai!

El teléfono se murió.

Elizabeth no vio a Robin sino hasta el siguiente lunes, en la escuela. Estaba tratando de esconderse en el laboratorio de biología, con la obvia intención de evitar las preguntas. Elizabeth estaba a punto de seguirla cuando vio a Bruce, que iba caminando lentamente hacia la cafetería y lo alcanzó.

—¿Ya te invitó?

—No, ¿qué, se trata de una broma?

—No, hoy te dirá.

—¿Ya escribiste el reportaje?

—Aquí está —dijo Elizabeth dándole unos golpecitos a su mochila.

Fue hasta después de clases, el martes, que sucedió la Gran Explosión. Liz estaba en la oficina del periódico escribiendo su columna cuando se abrió la puerta y entró Robin Wilson como bólido.

—¡Elizabeth!

Elizabeth miró a Robin y sintió miedo. Estaba tratando de apoyarse en una silla; tenía la cara roja como una langosta cocida y estaba sin aliento.

—Robin, ¿estás bien?

—Elizabeth.

En ese momento, Elizabeth supo. Esbozó una gran sonrisa y saltó de su silla.

—Dios mío... dijo que sí.

Elizabeth alzó los brazos y Robin comenzó a abrazarla con gran entusiasmo. Casi ahogada por los abrazos de Robin, riendo y llorando al mismo tiempo, Elizabeth comenzó a bailar por la oficina.

—¡Dijo que sí... dijo que sí! Voy a ir a la fiesta con Bruce Patman.

Y antes de que Elizabeth pudiera decir algo más, Robin salió corriendo, completamente feliz.

Desde el martes hasta el sábado, Elizabeth recibió varios telefonazos. Siempre era Robin, que le reiteraba su agradecimiento y felicidad.

—Ahora todos me aceptarán, Liz. ¡Imagínate!, una salida con Bruce Patman. ¡Qué linda que me hiciste hacerlo! —era evidente que Robin sentía que por fin el mundo marchaba.

Elizabeth comenzó a preocuparse de nuevo. Ir del brazo de Bruce al Discomaratón no era el pasaporte a la popularidad. Elizabeth lo sabía, aunque Robin no dejara de fantasear. Esperando que todo saliera de lo mejor, Elizabeth decidió manejar un problema a la vez. Además, en este momento se sentía feliz de ver la azorada expresión de su hermana.

—Adivina quién llamó —sonrió Elizabeth—. Robin... nuestra candidata a Pi Beta, quien por cierto irá hoy al baile con Bruce Patman.

—Ay, Liz, ¡cállate!

—¿Así es que ya sabías que nuestra candidata logró la tan codiciada cita?

—Siento que la cabeza me va a explotar. ¿Cómo pudo suceder algo tan increíble? Es como de ciencia ficción.

—Quizá te lo puedas imaginar mientras lavas la ropa por mí. Y no te olvides de plancharla también, ¿eh?

Jessica salió del cuarto echando chispas.

El sábado, mientras bailaba entre los brazos de Todd, Elizabeth sintió que todo a su alrededor era perfecto. Su musculoso y atlético cuerpo, tan cercano, siempre le proporcionaba un delicioso calor... se sentía totalmente enamorada. Cuando él comenzó a acariciarle la espalda mientras bailaban, Elizabeth ya no podía recordar ni dónde estaba.

De pronto escuchó risas. Volteó hacia la puerta y vio a Robin, quien entraba con Bruce Patman con cara de absoluta felicidad.

Entró con paso firme, luciendo una tienda de campaña más bonita que de costumbre y pasó frente a las tres conspiradoras que estaban como petrificadas. Jessica, Lila y Cara dejaron de bailar y lanzaron miradas furiosas e incrédulas. Finalmente, Elizabeth se sintió tranquila. Lo único que tendría que hacer ahora era escribir el reportaje sobre Bruce y sus éxitos en el tenis y pasárselo al editor de la sección deportiva y el compromiso quedaría terminado. Por fin tendría más tiempo para su relación con Todd.

Cuando Bruce llevó a Robin del brazo hacia la pista, todas las demás parejas se hicieron a un lado.

Era una escena como de película; todos formaron un círculo a su alrededor. De pronto sucedió. La música era suave y la voz de Bruce se escuchó claramente, mientras se alejaba de Robin, dejándola sola en medio de la pista.

—Bueno, ya estuvo. Te traje a la fiesta, Gordis. Tengo cosas más importantes que hacer ahora. Por cierto, ¿alguien quiere maniobrar al *Queen Mary* alrededor de la pista?

Y Bruce se fue.

Cinco

Robin se quedó de pie, sola, durante lo que pareció una eternidad. Se sentía invadida por olas de humillación.

"Oh, Dios mío", pensaba, "no puede ser cierto, no puede haber sucedido." No esta noche y después de todo lo que había soportado durante las últimas semanas. No escuchó ni las risas avergonzadas ni los murmullos de compasión de los demás alumnos. Sólo tenía una idea fija, más fuerte que ella.

Saliendo de pronto del *shock*, se lanzó entre la multitud hacia la salida. Como un animal momentáneamente paralizado por una brillante luz, que se acabara de recuperar, todo lo que se le ocurrió fue escapar.

Elizabeth la alcanzó antes de que abriera la puerta.

—Robin.

—Déjame, Liz. Tengo que irme de aquí.

—Espera, ven un momento.

Elizabeth la sujetó con firmeza y la jaló hacia el baño de mujeres. No sabía con quién estaba más furiosa; si con Bruce Patman, por ser tan animal; con Jessica, Lila y Cara por idear la broma, con ella misma, por convencer a Bruce de que viniera, o con Robin, por querer entrar a toda costa a PBA.

Cuando estaban en la puerta del baño, Enid Rollins, la mejor amiga de Elizabeth, las alcanzó.

—Robin... Liz... ¿puedo ayudar en algo?

Tan linda Enid, pensó Liz, siempre dispuesta a ayudar.

—Claro que sí, Enid. Ponte en la puerta y no dejes que nadie entre, especialmente mi hermana y las otras brujas.

Ya dentro del baño, Robin se desplomó.

—Ay, Liz, estoy tan avergonzada —lloraba—. Jamás podré enfrentarme a nadie en mi vida; mi vida entera está arruinada.

Elizabeth tomó algunas toallas de papel del despachador y dejó correr el agua fría en uno de los lavamanos.

—A ver, ponte agua fría en la cara y deja de decir estupideces. Tú no hiciste nada vergonzoso. El que debería estar totalmente avergonzado es Bruce Patman, este maldito, cretino egoísta.

—Es mi culpa, Liz. ¿Cómo pude haber sido tan estúpida? ¿Cómo es posible que alguien tan guapo como Bruce Patman salga conmigo? —comenzó a llorar de nuevo.

—¡Robin Wilson, ya deja de llorar! —gritó Elizabeth, con la esperanza que esto funcionara—. Si dejaras de llorar y de sentir lástima por ti podrías aprender algo.

—¿Como qué?

—En primer lugar, que lo único que Bruce Patman tiene es ser guapo. Afortunadamente tú tienes más que eso.

—Liz, debes estar mal de la cabeza.

—Vete en el espejo —siguió Elizabeth, decidida a ser franca—; tendrás los ojos rojos e hinchados, pero tu cara es muy bonita.

—¿Para qué quiero verme en el espejo? —tartamudeó Robin, temblando por los sollozos.

—Para que te veas bien —ordenó Elizabeth, mientras examinaba más de cerca a Robin. Le había dicho esto para animarla, pero ahora se daba cuenta que era verdad. Quizá era por el maquillaje y el peinado, pero la cara de Robin estaba muy bella.

—¿Verme en el espejo? —repitió Robin comenzando a enfurecerse—. Me paso el tiempo tratando de *no* verme en el espejo. No necesito espejos para saber cómo soy: gorda y fea... seguramente la más gorda y fea de todo California.

—¡Robin!

—Deja de decirme Robin, Robin. Tú te ves al espejo y eres hermosa. Yo sólo veo un monstruo.

—Robin, eso no es cierto.

—Sí, Liz, triste pero cierto —tomó su bolso—. En este momento me voy a casa.

—Perfecto, Robin. Eso le va a dar muchísimo gusto a Jessica.

—¿Crees que podría regresar a la fiesta después de lo que pasó?

—Robin, haz lo que quieras, pero creo que salir corriendo no va a resolver nada.

—Pues quedarme tampoco.

La puerta se abrió y Enid asomó la cabeza.

—Oigan, ya no puedo detenerlas más tiempo. Hay más chicas bailando en la puerta del baño que en la pista. Creo que necesitan hacer algo además de mirarse al espejo.

—Ya vamos, Enid, gracias.

—Parece que Todd quiere arreglarle la cara a Bruce Patman —rio Enid.

—Válgame Dios, todo el problema que estoy causando. No puedo volver allá adentro; ni siquiera puedo regresar a la escuela. Debí haberme ido antes... jamás regresaré a esta escuela.

—Robin...

Antes de que Elizabeth pudiera detenerla, Robin se escabulló y salió corriendo como loca hasta la puerta.

—¿Qué pasa, Liz?

—Luego te cuento, Enid.

Elizabeth tuvo que empujar a varios al tratar de alcanzar a Robin. Preocupada por lo que le diría, Elizabeth se estrelló contra alguien.

—Perdón.

Alzó la cabeza. Casi había tirado al chico más alto, más inteligente y quizá más tímido de la secundaria. La única actividad extracurricular de Allen Walters era tomar fotos para *El Oráculo.* Por lo demás, siempre andaba solo.

—Perdón, Allen.

—No te preocupes, Liz. Yo debí haberme hecho a un lado.

De pronto Elizabeth tuvo una idea.

—Allen, tienes que ayudarme. Es super importante.

—¿Ahora?

—No te puedo explicar en este momento, tengo que detener a Todd y tú tienes que detener a Robin Wilson. Se siente muy mal y acaba de salir corriendo; tengo miedo de que le vaya a pasar algo.

—Pero Liz, no puedo...

—Tienes que hacerlo, Allen. Es muy importante.

Elizabeth le indicó con la mirada la puerta y luego fue hacia donde Todd y Bruce estaban, mirándose fijamente a los ojos. El Discomaratón se había vuelto Discodesastre.

Robin ya iba a la mitad del estacionamiento cuando se dio cuenta de que alguien corría tras ella.

—Robin, oye Robin, espera.

Asustada, Robin se detuvo. Era Allen Walters. ¿Qué no había tenido suficientes problemas ya?

—¿Por qué me sigues?

La fría luz de neón del estacionamiento mostró a una Robin combativa, de pie, con las manos en las caderas. Allen estaba frente a ella, jadeando. Sorprendido por su propia acción, Allen masculló:

—Pues te estaba siguiendo...

—Sí, pero ¿por qué?

—¿Por qué?

—Ya me oíste, Allen. ¿Por qué me estabas siguiendo?

—Pues... no sé, Robin. Liz me dijo...—miró al piso sin poder continuar.

—Pues no sé, Robin. Liz me dijo —lo imitó Robin—. ¿No puedes decir ni una frase bien, Allen? Se supone que eres de lo más inteligente.

—Pensé que necesitabas ayuda, Robin —soltó de pronto.

—¿Ayuda? —la furia de Robin estaba llegando al máximo—. ¿Viste lo que me pasó?

—Este... sí.

—Soy una total paria, estoy perdida —gritaba Robin fuera de sí.

—Pues si puedo...

—¿Si puedes qué? ¿Ayudarme? ¿*Tú* me vas a ayudar? ¿Cómo, con magia? Es la mejor broma que he oído.

Allen se sonrojó.

—Mira, lo siento mucho, Robin.

—¿Lo sientes? El mundo se me viene encima y ¿quién me quiere ayudar? Ni más ni menos que Allen Walters. ¡Válgame Dios!

Allen se dio la vuelta.

—Creo que mejor me voy... tengo cosas que hacer en casa. Lo siento mucho, Robin.

Robin lo miró alejarse con la cabeza baja. La tristeza de su cara le recordó algo. Había descargado su furia contra el mundo sobre alguien que no tenía la culpa. Estaba actuando igual que Bruce Patman.

—Allen, espérame por favor.

Allen se detuvo y esperó que Robin lo alcanzara.

—Allen, discúlpame, lo siento mucho. No debí haberte gritado así.

—No te preocupes, no debí meterme en lo que no me importa.

—¿Qué hacías en la fiesta, Allen?

—Yo también voy a esta escuela, ¿ves?

Agitada, Robin comenzó a hablar rápidamente.

—Ya sé... sólo que no pensé... bueno, no sabía

que fueras a fiestas.

Allen se encogió de hombros y miró al cielo.

Robin estaba arrepentida.

—No quise ofenderte, Allen. Sólo que siempre te veo en la biblioteca o en el laboratorio de química y pensé que no te interesaban las fiestas —"Vaya", pensó Robin, "¿no podrías meter más la pata?"

—Supongo que tengo que salir de la biblioteca de vez en cuando —dijo con amargura—. Pero debí haber ido al cine; generalmente no tengo mucho de qué hablar con la gente que va a fiestas.

—¿Tú tampoco?

—Digo y hago muchas estupideces. Prefiero el cine... sobre todo las películas viejas. ¿Sabías que hay un festival de Humphrey Bogart en el Valley Cinema? Ese tipo sí que sabía decir las cosas en el momento preciso.

Robin se rio por primera vez desde hacía una hora.

—Lauren Bacall también sabía exactamente qué decir. Quizá deberíamos conseguirnos un apuntador.

Allen se rio y Robin se dio cuenta que tenía una hermosa risa.

—Bueno, creo que me voy, Robin.

—¿Te vas?

—Sí, tengo que llegar a casa.

—¿No vas a regresar a la fiesta?

—¿A qué? De todas maneras no me estaba divirtiendo.

Robin recordó el sermón de Elizabeth y suspiró profundamente:

—¿Sabes, Allen? Huir de las cosas no las resuelve.

—¿Cómo dices?

Robin se detuvo. Se le hacía increíble que estuviera tratando de convencer a Allen Walters de regresar al lugar al que había jurado no volver en su vida. "Debo estar totalmente loca", pensó.

—Pues creo que deberías imponerte, Allen. Tienes tanto derecho de estar ahí como cualquier otro.

Allen lo pensó un momento.

—Quizá tengas razón. Bueno, vamos.

—¿Vamos? —tartamudeó Robin—. Me refería a ti... yo me voy a casa.

—Pues no me interesa regresar solo, Robin.

Robin trató de imaginarse lo que pasaría si regresaba al gimnasio. "¿Y por qué no?" Ya lo peor había pasado.

—Bueno, ¿bailamos un poco?

—Vale.

Los dos se sintieron un poco nerviosos cuando volvieron a entrar. El ruido, las luces, la gente, hacían un contraste desagradable con la tranquilidad del estacionamiento.

Justo en ese momento, Jessica pasó junto a ella.

—Robin, las candidatas a PBA deben estar bailando y no escondidas en los rincones con...

Robin no oyó el resto de la frase, pero captó el mensaje: las candidatas a PBA no deben andar en los rincones con estúpidos como Allen Walters.

Poco después bailaba, en los brazos de Allen... si es que podía decirse que bailaban. El parecía ir siempre en una dirección, por lo que sólo daban vueltas hacia atrás. Robin lo miró y vio que su cara estaba roja y seria. Se sintió un poco avergonzada por los dos y miró por encima de su hombro para observar las caras de los demás.

Robin no fue la única que lo notó. Cuando terminó la canción, Allen le dijo:

—Mira, Robin, me tengo que ir. La verdad es que no sirvo para esto.

—No te preocupes, te entiendo. Te veré luego.

Con la duda de que Allen considerara su forma de bailar tan torpe como la de ella, Robin se dio la vuelta y se encaminó hacia la puerta. Se iría a su casa.

Con gran sorpresa, vio que Allen se acercó.

—¿Te acompaño a tu casa?

—¿Quieres?

—¡Claro!

Robin sonrió.

—Bueno...

Mientras caminaban, Robin volteó a ver a Allen. Era más alto de lo que se había imaginado y tenía unos ojos muy hermosos.

Seis

Jessica Wakefield insistía en su inocencia y en que le estaban levantando falsos.

Elizabeth la persiguió por su cuarto, interrumpiéndola todo el tiempo, para decirle lo que pensaba.

—Elizabeth, no me vas a gritar por este asunto ridículo. No sé cómo o por qué Bruce Patman fue con Robin al Discomaratón. Nadie creía que fuera cierto.

—Entonces, ¿estás aceptando que tú le pusiste una prueba que considerabas imposible de cumplir, para que no lograra entrar a Pi Beta?

—Sí... no, no es justo. Si fuera la chica adecuada para Pi Beta, no hubiera tenido problemas. Pero, ¿quién iba a pensar? Además, yo no controlo a Bruce Patman.

"No", pensó Elizabeth enojada, "yo me encargué de eso."

Jessica se dio cuenta de que finalmente había logrado tomar la delantera. Siguió:

—Todos nos preguntamos cómo pudo haber ido Bruce con ella. ¿Tú no supiste nada?

—¿Yo?

—Sí. Parece que te has vuelto la mejor amiga de Robin. ¿No te contó cómo sucedió ese milagro?

—No. Vamos a dejarlo por la paz. Por lo menos, Robin salió bien del asunto y ya no podrán impedirle que entre a PBA.

Jessica se sentó frente al espejo y comenzó a cepillarse el pelo.

—Estoy muy cansada... ya me voy a dormir.

—Ya me oíste, ¿no? Dije que por lo menos ahora ya no podrán impedirle que entre a PBA.

Jessica se quedó mirando su imagen mientras se cepillaba el dorado pelo que le caía sobre los hombros.

—Sabes perfectamente, hermanita, que no soy la única que opina en Pi Beta Alfa.

A Elizabeth no le gustó el comentario, pero estaba demasiado cansada para imaginarse lo que querría decir Jessica.

Elizabeth estaba tan contenta de que ya no habría más pruebas para Robin, que no le importó que Jessica le ensartara el encargo de pasar a recoger el reloj de su madre al centro comercial. La divertía pensar lo furiosa que se pondría su hermana cuando descubriera que le habían prestado el pequeño fiat rojo para ir por el reloj.

Iba riéndose mientras pensaba: "¿Ya ves, Jessica? Es lo que sacas por hacer tus actos de magia y desaparecerte."

Estacionó el auto, recogió el reloj de oro e iba caminando lentamente por el centro comercial cuando vio una pequeña boutique que no había notado antes.

El pequeño anuncio decía Lisette's y tenía gran variedad de regalos caros e importados. Elizabeth entró a ver la joyería labrada en oro que estaba sobre las vitrinas de cristal. Le llamaron la atención unos preciosos aretes de oro y un prendedor que tenía la delicadeza de una telaraña, con piedras preciosas incrustadas. También había bufandas de seda, anudadas alrededor de un poste de terciopelo, que caían sobre el mostrador de enfrente.

Elizabeth tomó una y la observó. Era exactamente igual a la que le había regalado Lila Fowler a su hermana.

—¿Qué se le ofrece, señorita? —dijo la fina voz de la vendedora, quien miraba a Elizabeth con ojos alertas.

—¡Qué hermosa bufanda!

—Sí... ¿quiere probársela?

—Mmm, sólo estaba mirando, pero ¿cuánto cuesta?

La vendedora sonrió.

—Es uno de los artículos más finos que tenemos y sólo cuesta noventa y cinco dólares.

Elizabeth sintió que la bufanda se le resbalaba de los dedos.

—¿Noventa y cinco dólares?

—Son artículos exclusivos.

—¿Exclusivos? Será en California.

—No, exclusivos en todas partes.

—Ah... pero una amiga mía... —Elizabeth no terminó la frase. Así es que era cierto. Probablemente la tía de Lila se la había enviado, porque ella seguramente no iba a gastar tanto dinero en sus amigas.

—¿Cómo dice?

—Nada —murmuró Elizabeth.

—¿Ha visto usted otra bufanda como ésta?

—Me pareció ver una igual.

En su nerviosismo, Elizabeth se hizo a un lado y tiró un muestrario de joyería de oro.

—Ay, por favor discúlpeme.

Se inclinó inmediatamente para recoger las pulseras, anillos y aretes y los puso rápidamente sobre el muestrario.

Cuando la vendedora comenzó a acomodar las cosas, Elizabeth descubrió de pronto otra cosa conocida. Era una carita en un anillo; un rostro egipcio delicadamente labrado, exacto al que le había visto a Lila.

"Vaya que Lila se gasta el dinero..."

La vendedora estaba ahora detrás del mostrador, checando que no hubiera más piezas en el suelo.

—Por favor espere a que haya arreglado todo, señorita —ordenó.

—¿Cómo dice?

—Déjeme ver... sí, está bien. Creo que ya tengo todo.

—¿Qué pasa?

—Quizá le interese saber que hemos instalado un nuevo sistema de seguridad, señorita. Robarse las cosas ya no va a ser tan fácil de ahora en adelante.

—¿Robarme las cosas?

—Sí. Quien se ha estado robando las cosas en este centro comercial, especialmente en mi tienda, deberá tener más cuidado. De hecho, la bufanda que dijo haber visto era idéntica a esta y fue una de las cosas que se llevaron.

—Sí, señora —dijo Elizabeth, totalmente sorprendida.

—¿Quién dijo que tenía una bufanda igual a ésta?

—Este... no recuerdo su nombre.

Un momento después, salió del centro comercial y se dirigió al auto. Probablemente no sea nada, se decía, pero la molesta sensación de que alguien estaba diciendo una terrible mentira seguía dando vueltas por su mente.

Asustada con sus propios pensamientos, arrancó el auto.

Siete

Al día siguiente, Elizabeth se sentía cansada. Había estado despierta buena parte de la noche, sin poder olvidar sus sospechas. ¿Debería presionar a Jessica para que le explicara lo de los regalos de Lila? ¿Realmente eran *regalos*? Si no, ¿de dónde los había sacado?

"Entra a su cuarto y pregúntale", se decía. "Pero, ¿preguntarle qué? ¿Robas las tiendas, Jess?"

Elizabeth se rehusaba a creerlo. Ciertamente, Jessica era capaz de hacer cosas horribles, pero no podía robar. ¿O sí? ¿Sería capaz de hacerlo Lila, quien tenía todo el dinero del mundo para hacer lo que quisiera?

"Intenta el método indirecto. Oye, Jess, ¿olvidaste pagar algo en el centro comercial? No, qué idea más estúpida." Quizá debería decirle a su madre. Despúes de todo, ¿no se suponía que los padres deben saber cómo manejar estos asuntos? Por ejemplo: "Oye, mamá, creo que Jessica está robando tiendas en el centro comercial."

No, definitivamente eran sólo estupideces.

—Lizzie, ¿qué crees? —Jessica entró corriendo al cuarto sin tocar, ya que nunca consideraba que la privacía fuera importante, salvo la suya, claro.

—Realmente no sé si convertirme en el guardia de mi hermano —respondió Elizabeth.

—¿Sabes lo que pienso? Que eres muy rara. Steve no necesita que lo cuiden.

—¿Steve?

—¿Te acuerdas de él? Es dos años mayor que nosotras y viene de vez en cuando a visitarnos. ¿Por qué iba a necesitar tu ayuda? —rio Jessica sarcásticamente.

Elizabeth se le quedó mirando, confundida.

—¿Steve? Ah, por Dios, Jess, cuando dije "hermano" no me refería a Steve; estaba hablando... filosóficamente —terminó la frase de prisa.

—No te pongas extraña, Liz, sólo vine a preguntarte si mi nueva bufanda va con este suéter y no quiero que me eches un sermón filosófico.

Elizabeth se quedó atónita ante la bufanda azul zafiro y lanzó un gran suspiro.

—Mmm... en relación con la bufanda... —comenzó, pero se detuvo—. Es más, Jess... esta bufanda realmente no te va bien, hace que tu piel tome un tono amarillento.

—¿Amarillento? —chilló Jessica mientras se miraba al espejo. Se arrancó la ofensiva bufanda y la lanzó sobre el tocador de Elizabeth—. Podrías haber tenido la amabilidad de informármelo antes, en vez de dejarme ir a todas partes con una cara amarilla.

Absolutamente furiosa, Jessica estaba a punto de salir por la puerta cuando la sorpresiva pregunta de su hermana la detuvo.

—Por cierto, Jess, ¿a qué hora es la reunión de PBA hoy?

—¿Reunión? ¿Hoy?

—Jessica, sé que hoy es la votación.

—¿Votación?

"Denme fuerza", suplicaba Elizabeth a las fuerzas ocultas que la estuvieran escuchando.

—Sé que hoy van a votar por Robin y las otras dos candidatas. ¿En dónde y a qué hora?

—No sé cómo te enteraste. A las ocho, en casa de Cara Walker.

—¿Qué quieres decir con que no sabes cómo me enteré? Tengo derecho a votar. No podrías hacer un recuento final sin mí.

—Ah... este... te iba a hacer el favor de votar por ti —dijo con gran dulzura—, porque ya sé que no te gustan las reuniones.

Elizabeth movió la cabeza, furiosa con su hermana. Bueno, por lo menos el problema de Robin Wilson quedaría resuelto.

—¿Cuándo harán la ceremonia de aceptación de Robin?

—¿Aceptación? ¿Te has olvidado que primero viene la votación?

—Jessica, Robin cumplió con *todas* las pruebas y el voto debería ser automático.

—Tal vez... por cierto, qué tarde es. Llegaremos tarde si no nos damos prisa —y bajó casi volando las escaleras.

—Jessica —gritó Elizabeth—, más vale que no estés planeando algo.

—¿Yo? —respondió con voz de gran indignación.

Elizabeth dobló la bufanda con cuidado y la puso en su cajón antes de bajar. Parecía buena idea esconderla, aunque estaba segura de que esto no tendría ningún efecto.

—Elizabeth, ¿cuál fue la importancia del caso Dred Scott? —le preguntó el profesor Fellow, maestro de historia.

—¿Perdón? ¿Cococómo dijo? —tartamudeó Elizabeth ante el júbilo de los compañeros.

—Cuando regreses a la tierra, avísame —comentó el profesor y le hizo la misma pregunta a Todd Wilkins.

Después de clase, Todd, preocupado, alcanzó a Elizabeth.

—En verdad estabas ida.

—Ay, Todd, todo es un problema.

—¿Qué pasó?

—Bueno... es que no sé si es verdad.

—¿Qué no es verdad?

—Pero en realidad sé que sí es verdad.

—¿De qué hablas?

—Te veré después —se despidió rápidamente, mientras Todd se quedaba moviendo la cabeza.

Ese día Elizabeth se dijo que le diría todo al profesor Collins, pero luego decidió no hacerlo. Trataría de olvidarlo, aunque se dio cuenta de que era imposible. Tenía que saber la verdad.

La lucha interior sobre la culpabilidad de Jessica le dio tal dolor de cabeza que realmente fue un alivio ir a la junta de la asociación en casa de Cara Walker. "Por lo menos este problema quedará resuelto", se decía al entrar.

La pequeña caja laqueada en rojo pasaba de mano en mano y Elizabeth tomó rápidamente un montón de canicas y se sentó. Había tanto silencio que las chicas podían escuchar el ruido de las canicas al caer por el agujero de la tapa, una a una.

—Suzanne Hanlon —informó Jessica a Elizabeth, mientras observaba a Cara pasar la caja laqueada a Lila Fowler.

Lila echó su canica, y la cajita siguió pasando, de mano en mano, hasta que completó el círculo y estuvo de nuevo en manos de Jessica.

Jessica abrió la caja y sacó las canicas. Todas eran blancas.

—Suzanne Hanlon está aceptada —sentenció Jessica, y todas aplaudieron.

—Es totalmente aceptable —murmuró Lila—. Su papá tiene un rolls–royce.

Jessica ya había cerrado la tapa de la caja roja y estaba a punto de enviar otra ronda.

—Robin Wilson —dijo con un tono sarcástico, tratando de evitar la mirada de Elizabeth mientras echaba su canica y pasaba la caja.

Elizabeth separó con cuidado las canicas blancas y negras en su mano, y echó una blanca cuando fue su turno. Se lo pasó a la siguiente chica y se sintió aliviada cuando la ronda terminó.

Jessica abrió la caja.

—Mmm...

—¿Qué pasa?— preguntó Lila y Cara le hizo eco.

Jessica sacó de la caja una canica negra, y la sostuvo entre el pulgar y el índice.

—Bola negra.

Miradas sorprendidas se cruzaron entre las Pi Betas.

—Robin Wilson no puede ser aceptada —anunció Jessica—. Tuvo bola negra.

Un silencio vergonzoso siguió su anuncio. Jessica y su hermana querían que Robin fuera aceptada y alguien había votado en contra. Definitivamente Robin era una perdedora pero, ¿quién se habría atrevido a hacerle semejante cosa a Jessica?

—¿Quién habrá sido? —murmuraban todas.

Elizabeth se quedó petrificada de la furia. Sólo había una persona que se hubiera atrevido a votar en contra de Robin... Jessica.

Las demás chicas se juntaron alrededor de Jessica para decirle cuánto lo sentían, pero ella lo tomaba con mucha calma... demasiada, le parecía a Elizabeth.

—¿Quién habrá podido hacer eso?—dijo Elizabeth sarcásticamente cuando nadie más estaba oyendo.

Jessica sonrió.

—No tengo la menor idea, pero como el voto es secreto... y nadie puede desafiar a una bola negra. Qué lástima, en verdad.

El murmullo comenzó a crecer. ¿Cómo tomaría Robin la noticia? A estas alturas, ya todos sabían que su vida entera dependía de entrar a PBA. Seguramente habría una escena de lo más desagradable durante la siguiente reunión, cuando se enterara.

Jessica tenía la expresión de una mártir a punto de ser lanzada a los leones en el Coliseo.

—Yo le diré personalmente —dijo con aire decidido—. Después de todo, es mi amiga y es mi responsabilidad.

—Iré contigo —se ofreció Elizabeth—; será mejor que seamos tres para recoger los restos.

Robin llegó de prisa a Casey's, en el centro comercial, donde había quedado de verse con Jessica.

—Iré inmediatamente —le había dicho a Jessica cuando la llamó.

Robin se lanzó a su mesa con la cara transformada de felicidad.

—No veía el momento de llegar.

Cuando Robin se sentó, se dio cuenta de que Jessica no sonreía. Tampoco estaba triste... simplemente seria.

—Robin, antes que nada quiero que sepas que siempre seremos amigas.

La cara de Robin comenzó a transformarse.

—¿Qué?

—Seguiremos siendo las mejores amigas. Si necesito que alguien me acompañe a hacer encargos, te seguiré diciendo primero.

—¿Qué dices, Jessica?

—Robin, alguien echó una bola negra —comentó Jessica en una voz que le recordó a Elizabeth el ronroneo de un gato.

Robin se quedó blanca como gis y mientras iba digiriendo las palabras de Jessica, sus ojos se abrían en una mirada llena de dolor y furia contenida.

—Pero no pueden hacerlo —gritó, con lágrimas en los ojos.

—Ya sé que esto implica que quedes fuera de todo lo que vale la pena en la secundaria de Sweet Valley, pero yo seguiré siendo tu amiga.

Elizabeth no podía creer lo que oía.

—Ay, Jess, ya cállate.

—¿Por qué me voy a callar?

—No puede ser —lloraba Robin—. Hice todo lo que me dijeron, no me lo merezco.

—A veces así suceden las cosas —dijo Jessica con una dulzura que le produjo náuseas a su hermana.

Elizabeth trató de consolar a Robin, pero ella se hizo a un lado, se recargó en el asiento y las miró fijamente.

—No me toquen, no lo soporto —dijo, mientras se levantaba y salía corriendo, después de tropezarse con una silla. Desde la puerta, volteó a ver a las gemelas con la cara convulsionada por la furia.

—Nada tiene sentido para mí.

—¿Estás satisfecha? —dijo Elizabeth burlonamente a su hermana.

—Ay, Liz, por Dios —replicó Jessica molesta—. Seguramente no supo ni qué decía.

Elizabeth se levantó.

—No lo sé, Jessica. A veces la gente tiene bastante aguante...

Ocho

Durante el resto del día, Elizabeth trató de ponerse en contacto con Robin, sin ningún éxito.

—¿Qué pasó? —suplicó su mamá cuando Elizabeth la llamó.

—Las Pi Betas votaron en contra, señora.

—No es posible. Esto significaba tanto para ella.

—Ya lo sé, señora. Yo fui quien la propuso.

—¿Cómo es posible que los jóvenes sean tan crueles? —dijo la señora Wilson en voz baja.

—Realmente no sé —contestó Elizabeth con toda honestidad. No entendía por qué Jessica, Cara y Lila habían hecho tantos esfuerzos por que Robin no entrara a PBA. Tampoco entendía que Robin se hubiera dejado humillar de esa manera.

Al día siguiente, Elizabeth estaba en la oficina del periódico, con los dedos ligeramente apoyados en las teclas de su máquina. Pensaba qué escribir, pero una pregunta se interponía constantemente en sus pensamientos: ¿por qué algunas gentes disfrutan con hacer el mal?

—A que adivino qué estás pensando —interrumpió Roger Collins, el asesor del periódico, quien notó a Elizabeth totalmente absorta.

No hubo respuesta.

—Bueno, olvídate de mi broma y dime qué te pasa.

—Profesor Collins, ¿por qué será que la gente que lo tiene todo... belleza, popularidad, dinero... lastima a los demás y los excluye de su grupo?

—¿Excluirlos? ¿Cómo?

—Sí, de un grupo *in*; de su asociación.

—Bueno, Elizabeth, ¿y tú que piensas?

—No puedo entenderlo. Es más, yo creo que esas gentes son las que están mal. ¿Dónde está su buen corazón, su compasión? Es como si tuvieran miedo de desmoronarse si ayudaran a alguien.

—¿Qué quieres decir, Elizabeth?

—Que quizá es la única manera en que se sienten superiores. Profesor Collins, a veces pienso que lo único que los hace ser especiales es que se mantienen alejados de los demás.

—Hmmmm, suena bien para un artículo —sonrió el profesor Collins y salió de la oficina. Elizabeth se quedó pensativa y finalmente comenzó a escribir.

Escribió un artículo llamado "El snobismo está en su apogeo en la secundaria de Sweet Valley", que sólo le llevó una hora, e inmediatamente se lo dio a Penny Ayala, la editora.

Elizabeth sabía que esto era una disculpa pública a Robin Wilson y una bofetada a las tres brujas de Pi Beta Alfa.

El día que apareció el artículo, Elizabeth lo leyó varias veces, orgullosa. Disfrutó muchísimo las caras agrias de algunas de las Pi Betas. Lo que lamentó fue que Robin no estuviera en la escuela para verlo; nadie la había visto ni había hablado con ella desde la votación. Aunque Elizabeth trató de localizarla, su mamá insistía en que no se encontraba y que ella se comunicaría cuando regresara. Elizabeth estaba preocupada.

Tampoco le hacía gracia pensar en la discusión que tendría con Jessica; sabía que no la llevaría a nada. Pero su artículo causó revuelo. El día que apareció, Jessica entró lanzando chispas a su cuarto, blandiendo *El Oráculo*, con fuego en los ojos.

—¿Cómo te atreviste? Absolutamente todos los habitantes de este estado saben que te refieres a mí.

—Bueno, por lo menos eso quedó claro —sonrió Elizabeth, sabiendo que esto enfurecería más a su hermana.

—Pero no somos snobs —gritaba Jessica—. No tenemos la culpa de que todo mundo quiera entrar y no podamos aceptar a todas... tenemos que ser selectivas.

—¿Entonces por qué estuviste dándole esperanzas a Robin para luego darle la puñalada en la espalda? ¿Podrías explicarme eso?

—¿*Yo* le di esperanzas? Se lo dije no una, sino mil veces, que las gordas no son populares.

—Sí, la insultaste todo el tiempo, pero le hiciste creer que tarde o temprano entraría al grupo.

—Eso no es justo, Elizabeth Wakefield Buttinski. ¿Quién propuso a esa gorda? ¿Quién sugirió su nombre?

Elizabeth sintió que la cara le ardía y que los argumentos se le escapaban. Como siempre, Jessica sabía cuando su hermana comenzaba a flaquear. Siguió atacando.

—Tú la propusiste, doña Bondad.

—Sí, pero tú le hiciste creer que eras su mejor amiga.

—No creo que aceptar que me cargara mi ropa haya sido darle muchas esperanzas.

—Perdóname, Jessica, pero fue terrible que le pidieras que invitara a Bruce Patman.

—¿Ah sí? —decía Jessica mientras caminaba alrededor de Elizabeth como león a punto de cazar a su presa—. ¿Ah sí? ¿Tú crees que eso fue lo que realmente la hizo suponer que ya la había hecho?

—Sí... supongo.

—Pues si supones eso, ¿quién le arregló la cita con Bruce Patman, eh doble cara?

—¿Qué quieres decir?

—¿Que qué quiero decir? —el sarcasmo literalmente escurría de la lengua de Jessica—. Elizabeth Wakefield, no finjas... casualmente sé que tú hiciste el contacto entre Bruce Patman y Robin. Tú hiciste eso, no nosotras.

—¿Y quién te dijo eso? —preguntó Elizabeth en voz baja.

—Casi te podría decir que de la propia fuente. Bruce Patman se lo dijo a Cara.

"¡Qué estúpida fui en confiar en una rata como Bruce!", pensó Elizabeth. Bueno, por lo menos le quedaba la pequeña satisfacción de que el tan soñado artículo jamás saldría a la luz. Lo había hecho garras antes de entrar a la imprenta.

—No va a permitir que todos piensen que es un imbécil, aunque las dos sabemos que es uno de los más grandes que hayan pisado Sweet Valley. Todos saben que fue a la fiesta con Robin porque tú lo convenciste. ¡Mi propia hermana!

—Mira, Jessica, quizá no debí haberme metido, pero estoy preocupada por Robin. Nadie la ha visto desde hace varios días. ¿Qué le podrá haber pasado?

—No tengo la menor idea y no me importa. No es nuestro problema, ya que somos unas snobs, ¿recuerdas? Y si esa bola de grasa pretende hacerme quedar mal, jamás le haré otro favor —dijo saliendo del cuarto.

Por fin, al día siguiente, la señora Wilson llamó a Elizabeth, para contarle de Robin. Había ido a Los Angeles a visitar a una tía, pero ya estaba de regreso.

—¿Cómo está, señora?

—Realmente no sé, Elizabeth. Sólo te llamé porque sé que estás preocupada y parece que mi hija no quiere hablar con nadie.

—¿Podría tratar?

—Creo que especialmente no quiere saber nada de ninguna PBA. No quiero ofenderte, pero debo respetar la opinión de Robin.

Elizabeth vio a Robin después de la escuela al día siguiente y notó un cambio. Ya no tenía la cara franca y amigable y el paso rápido. Robin no usaba maquillaje y llevaba puesto un vestido azul, como tienda de campaña, todo raído, que le quedaba grande. Al caminar, Robin sólo miraba al frente, como si el resto del mundo no existiera. Iba por los pasillos de la secundaria como una extraña y su entusiasmo parecía haberse desvanecido.

—Robin, quiero hablar contigo —suplicó Elizabeth, alcanzándola frente a la escuela. Robin volteó y la miró de tal manera que parecía que la fuera a fulminar.

Elizabeth tembló.

—¿De qué? —respondió Robin con voz cortante. Se quedó perfectamente quieta mirando fijamente a Elizabeth, quien comenzó a sentirse como escarabajo atrapado con un alfiler.

—Robin, sólo quiero que sepas cómo siento todo lo que pasó.

—¿Eso es todo?

—Robin, no seas así. No dejes que esas... no dejes que te venzan.

—Es demasiado tarde, Elizabeth. Lamento informarte que ya me vencieron, pero no te preocupes, ya me siento bien.

De pronto Jessica las vio y se acercó con cara de tristeza.

—Robin, qué gusto verte. Quería decirte...

Las palabras de Jessica se evaporaron. Robin se había ido.

—¿Viste eso? —dijo furiosa—. Encima de todo, malagradecida. ¿Y de qué te ríes, Elizabeth?

Durante las siguientes semanas, Elizabeth vio a Robin de vez en cuando. Nunca hablaba con nadie y siempre miraba al frente. Hasta se veía distinta, aunque Elizabeth no podía explicarse en qué consistía la diferencia. Era una persona nueva y no podía decidir si para bien o para mal.

Algo pasaba también con Lila Fowler. Elizabeth notaba que cada vez usaba ropa más loca y joyería más sofisticada. Al mismo tiempo parecía menos involucrada con sus amigas y más interesada en sus propias cosas y fantasías.

—Quizá me vaya pronto —dijo misteriosamente un día—. Tal vez me vaya al Este.

—¿A dónde? —preguntó Jessica sorprendida.

—A Nueva York. Mi padre conoce al director de la Academia de Arte Dramático y probablemente vaya ahí.

—¿En verdad?

—De hecho, mi padre quiere que vaya a la Sorbona, en París. Se pasa la mayor parte del tiempo planeando mi futuro. Es maravilloso tener un padre que quiere pasarse todo el tiempo contigo.

Jessica no perdía la oportunidad de contarle a su hermana los extraordinarios planes de su amiga. Lila Fowler no sólo era la más rica y una de las más bellas chicas de la secundaria de Sweet Valley, según Jessica, sino que tenía el padre más adorable y generoso.

—¿Todavía te regala cosas? —preguntó Elizabeth.

—Sí, a veces. ¿Te sientes celosa, Liz?

—No —"Más bien preocupada", aunque no lo dijo.

—¿Te gustan? —Jessica se tocó los aretes que colgaban bellamente y contrastaban con su pelo rubio. Elizabeth tomó uno entre sus dedos y lo ob-

77

servó. Era una mariposa exquisitamente trabajada en oro que colgaba de una cadena, obviamente muy cara. Era el momento de hablar con su hermana.

—Jessica, ¿de dónde sacaste estos aretes?

—Ya te dije... me los dio Lila. Su tía...

—Le pregunté a Lila por su tía de Nueva York y no es muy buena para decir mentiras. No creo que exista semejante tía, así es que mejor olvídate de eso.

Jessica la miró desafiante.

—¿Qué quieres decir, Liz?

—¿Entonces te los dio Lila? ¿Esa es tu versión?

—Es la única versión que tengo.

—¿No los conseguiste tú? ¿De algún lado? ¿Quizá en el centro comercial?

—Yo no tengo para comprarme estos aretes y tú lo sabes. Probablemente costarán cincuenta o sesenta dólares.

—Jessica, probablemente cuesten doscientos cincuenta dólares. ¿Qué te pasa?

—Elizabeth, no voy a seguir escuchando tonterías. Lila me dijo que su tía se los había dado y ella me los regaló. ¿Qué voy a hacer? ¿Aventárselos? Además, quizá Lila quiere hacerme regalos y le da pena decírmelo. No le gusta lucir su dinero —añadió, aunque sabía que esto no era cierto, pero quería quedarse con los regalos a como diera lugar.

—Jessica, júrame... dame tu palabra de que... tú no los tomaste de algún lado.

Jessica se quedó totalmente muda. Un minuto después, su mutismo se convirtió en indignación cuando se percató de lo que su hermana había sugerido.

—Elizabeth, esto es demasiado. Le voy a decir a mamá.

—No, no, Jessie. No hay problema. Te creo. Sólo estaba preocupada.

Elizabeth se regañó por sospechar de todo mundo. Probablemente estaba demasiado cansada. El día anterior, Todd se había quejado en el Dairi Burger que siempre parecía estar en otro mundo. Estaba algo molesto, lo que era muy raro en él.

Al día siguiente de su enfrentamiento con Jessica, Elizabeth decidió que le compraría a Todd algo muy especial para su cumpleaños. Notó que durante el entrenamiento, Todd había metido su reloj en la sudadera porque se le había roto la banda. Le compraría una preciosa.

Fue al centro comercial después de clases y se dirigió a la pequeña joyería donde había visto gran variedad de bandas de piel en el aparador. Tenían un aspecto muy masculino, que le recordaba a Todd. Cuando estaba a punto de entrar a la tienda, vio a una chica vestida de forma extraña que miraba los aparadores de Lisette's. Llevaba unas mallas ajustadas verde brillante y una blusa rayada, suelta, que parecía como cuatro tallas más grande.

La chica le estaba dando la espalda, pero Elizabeth la vio tomar una pulsera cuando la vendedora se descuidó. La metió a su bolsillo y se dio la vuelta. Por primera vez, Elizabeth la vio. La ladrona había robado abiertamente, como si no le importara que la sorprendieran. Mientras se alejaba, la expresión de Lila Fowler era de absoluta tranquilidad.

Nueve

Elizabeth se olvidó de la banda de Todd. Como hipnotizada, comenzó a seguir a la amiga de su hermana en silencio.

Lila Fowler caminaba despreocupadamente por el centro comercial sin voltear y con la mano en el bolsillo donde guardaba la pulsera robada. La siguió hasta la entrada y la vio subirse a su triumph verde limón. Elizabeth no pudo salir del trance hasta que Lila desapareció de su vista.

—Esto es demasiado para mí —dijo en voz alta mientras regresaba a la joyería.

Cuando se acercó, vio a la vendedora de Lisette's buscando desesperadamente algo en el mostrador. Obviamente enojada, la mujer volteó hacia afuera y vio a Elizabeth.

—¡Oye, tú, tú!

Fue como la escena de una película trágica, pensó Elizabeth después, en la que una persona inocente se ve implicada en un crimen. Aterrada, Elizabeth apresuró el paso y, tomando aire, siguió caminando con paso tranquilo.

Sin embargo, el haber llegado a su casa no borraba el terrible secreto que había descubierto. Lila Fowler era la ladrona. ¡Lila!, quizá la chica más rica de Sweet Valley. Una muchacha a quien su padre le daba todo lo que quería... envidiada por todos. ¿Por qué lo hacía?

Elizabeth se encerró en su cuarto a descansar y a pensar en las razones que Lila tendría para comportarse de esa manera y trató de hacer a un lado su furia contra ella. Pero desgraciadamente no lograba olvidar nada y no sabía qué hacer.

De pronto, Elizabeth se dio cuenta que había podido preguntarle a Jessica por las cosas robadas porque jamás pensó que realmente fuera ella la ladrona. Pero enfrentarse a Lila era otra cosa y Elizabeth tembló de pensar en hacerlo sola. No tenía la menor idea de su reacción... las posibilidades eran muchas y finalmente decidió no hacer nada, esperando que el problema se resolviera de alguna manera.

Una oleada de culpabilidad pasó por su mente, cuando recordó que había sospechado de su hermana. Se levantó de su cama y fue a la habitación de Jessica, con lágrimas en los ojos.

—Lo siento, Jessie —murmuró—. Eres una hermana maravillosa.

Jessica la miró, confundida.

—¿Qué te pasa? ¿Que sucedió?

—Nada, Jess, sólo que siento mucho haber sospechado de algo que no habías hecho.

—Me da gusto que finalmente entiendas. Robin Wilson fue tu problema.

—Bueno —dijo Elizabeth, demasiado cansada para discutir. Y hablando de Robin, recordó que hacía varios días que no la veía—. ¿Por cierto, cómo está Robin, Jessie?

—No sé por qué me preguntas a mí. Esa chica se ha vuelto de lo más extraña.

—¿Qué quieres decir?

—¿No has notado cómo camina por los pasillos? Se viste como... no sé, como una gitana, está más pálida que un fantasma y actúa como si planeara algo.

—¿Robin? No exageres, Jess.

—Liz —dijo Jessica, bajando la voz hasta hacerla casi inaudible—. Liz, me traspasa con la mirada.

Elizabeth estuvo de acuerdo. Había notado esa expresión vaga y rara.

—¿Y sabes qué más? ¿Te acuerdas que la hicimos correr alrededor de la pista? Pues lo sigue haciendo... todos los días.

También era cierto. Elizabeth había visto la solitaria figura corriendo alrededor de la pista todas las mañanas, vistiendo unos pants grises. Corría, corría y corría.

—Sí, la he visto.

—Liz, ¿qué estará haciendo? Espero que... que esto que le hiciste no la haya trastornado —decía Jessica asustada.

—Hablaré con ella.

—¿En verdad, Liz? Tú sí sabes hacer eso, yo no puedo. Estoy segura que quiere acabar con su vida.

Elizabeth aceptó la actitud de Jessica de que Robin Wilson era su responsabilidad, aunque no había olvidado que Robin era la "mejor amiga" de Jessica y que la crueldad y el rechazo de las Pi Betas la habían afectado tanto. Pero como sucedía siempre con las gemelas Wakefield, Jessica hacía todo lo posible por convencerse y convencer a los demás de que nada de lo que salía mal era su culpa, mientras que Elizabeth generalmente tenía que arreglar los destrozos, sin importar quién los hubiera hecho.

—Pero Jessica, quiero que hagas algo.

—Claro, Lizzie, lo que quieras.

—No te acerques a Lila Fowler.

—¿Qué?

—Y no aceptes regalos, no importa lo que te diga.

—¿Qué? ¿Por qué?

—Tú confía en mí.

—Elizabeth, no puedes decirme que deje a mi mejor amiga sin darme una explicación. ¿Estás celosa de ella? ¿Por qué no la quieres?

—Jessica, ¿me crees que te quiero mucho? Soy tu hermana y deseo que todo te salga bien. Creo que Lila se está buscando serios problemas y tengo miedo de los efectos que esto pueda tener sobre ti.

Elizabeth se dio cuenta, demasiado tarde, que había abierto la caja de Pandora. Jessica estaba muy nerviosa y prácticamente le gritaba a su hermana, llenándola de preguntas, sin esperar las respuestas.

—¿Qué quieres decir? ¿Qué has oído? ¿Cómo puedes ser tan maldita? ¿Desde cuándo conoces a Lila tan bien?

—No puedo contestarte —respondió Elizabeth con firmeza. Se negó a decir una palabra más. Estaba segura de que contarle a Jessica sería peligroso.

Furiosa, insistía en que su hermana saliera de su cuarto y Elizabeth, triste, lo hizo. La furia de Jessica era algo que no podía soportar en este momento.

A la mañana siguiente, Elizabeth se dirigió a la pista que estaba detrás de la secundaria y vio la figura solitaria que corría.

Elizabeth se sentó en las gradas y esperó. Robin parecía una máquina. Se veía fuerte, casi atlética. Y como siempre, sólo veía al frente, desconectada de todo lo demás. Corría sin parar y a Elizabeth se le ocurrió que quizá corría hacia algo que sólo ella podía ver.

Por fin Robin llegó hasta las gradas y se detuvo. Miró tranquilamente a Elizabeth.

—Corriste como medio kilómetro —dijo sólo por decir algo.

—Dos kilómetros y medio.

—Robin, ya sé que no me importa, pero ¿cómo estás?

—Muy bien, es más, super bien. ¿Te acuerdas cuando leímos *La Iliada*? ¿Te acuerdas del pasaje en que griegos y troyanos quedaron encantados por los dioses?

—¿Qué dices? —balbuceó Elizabeth, preocupada de que Robin estuviera en realidad mal de la cabeza.

—Deberías leerlo de nuevo. Especialmente el pasaje en el que la persona sale del encantamiento y puede ver por fin con claridad.

—¿Ya no estás enojada conmigo?

—¿Enojada? Debería estar agradecida. Eres la

única persona de ese grupo a quien le dirijo la palabra. Pero en verdad, Liz, ahora no puedo ni hablar. Te veré más tarde.

Y se fue corriendo hacia el gimnasio.

La conversación dejó a Elizabeth más sorprendida que antes, aunque algo le pareció bien: Robin no se veía deprimida... había cambiado, pero para bien. Se sentía intrigada y su mente de reportera comenzó a buscar alguna pista que pudiera explicar lo que estaba sucediendo.

Unos días después entró a la cafetería y se sentó frente a una mesa a esperar a su amiga Enid. Al voltear, vio a Robin sola en una mesa cercana. Elizabeth estaba a punto de hablarle, pero cambió de opinión. La clave de lo que buscaba estaba frente a ella.

El plato de Robin, generalmente rebosante de papas fritas y hamburguesas dobles, ahora sólo tenía hojas de lechuga, rebanadas de tomate y un huevo duro. Elizabeth la observaba en silencio y cuando Robin se levantó para irse, lo notó perfectamente. Los abultados pants no permitían notarlo, pero ahora, aun con el vestido de tienda de campaña, era evidente que Robin estaba bajando de peso.

Todos los días, antes de clases, Elizabeth observaba la figura que recorría la pista en sus pants y cada mediodía veía a Robin, algo cansada y sola, comer un lunch bajo en calorías. Unas dos semanas después, Elizabeth se topó con ella al bajar las escaleras y se sorprendió de la transformación que había ocurrido. Los kilos sobrantes desaparecían rápidamente y la Robin que comenzaba a surgir era totalmente diferente. Elizabeth recordó el día de la fiesta — Discodesastre— cuando por primera vez se dio cuenta que Robin era bonita. Ahora que había perdido tanto peso, esa cara se veía más que bonita. Elizabeth sonrió emocionada.

—Robin, estás perdiendo peso.

—Qué observadora —respondió sarcástica.

—Espero que lo estés haciendo con un médico, Robin.

Robin fijó su penetrante mirada en Elizabeth.

—Liz, seguramente fui una estúpida casi en todo... las Pi Betas, Jessica y hasta contigo. Pero si quieres que te diga que me estoy matando de hambre, le daría un gusto enorme a esas brujas.

—Ay, Robin, eres sensacional.

Los inexpresivos ojos parecieron brillar con un momentáneo calor y de nuevo quedaron bajo la máscara. Robin se despidió y continuó bajando las escaleras.

De regreso a casa, Elizabeth canturreaba, pensando en Todd. Ultimamente lo había tenido bastante abandonado, pero decidió hacer lo posible por reponer el tiempo perdido.

El teléfono sonaba cuando entró a su casa y se apresuró a contestar. Lila Fowler estaba en la línea, sin aliento.

—Liz, algo horrible sucedió.

—¿Qué pasó, Lila? ¿Dónde estás?

—Liz, estoy en el centro comercial. Es terrible.

—¿Qué, Lila? ¿Qué pasó?

—Detuvieron a Jessica por robo.

Diez

Elizabeth trataba de mantenerse tranquila mientras conducía al centro comercial. Dolorosas preguntas se agolpaban en su mente. ¿Sería Jessica culpable, después de todo? ¿Lo haría con Lila y se cubrían una a la otra?

Irrumpió en el estacionamiento y detuvo el auto junto al de Lila Fowler, quien la esperaba nerviosa, paseando de arriba a abajo. En cuanto vio a Liz, se acercó a toda prisa, con cara de velorio y limpiándose los ojos con un pañuelo de papel.

—Liz, ¿qué vamos a hacer?

—¿Dónde está Jessica? —decía Elizabeth al tiempo que se bajaba del auto.

—La tienen... ahí —señaló Lila vagamente hacia el centro comercial.

—¿Quién la detuvo?

—Los agentes... los de seguridad.

—Lila, por favor cálmate y dime cómo sucedió.

—Tienes que hacer algo por ella, Liz. Yo no me puedo quedar.

—¿Qué dices?

—Es mejor que lo arregles tú sola, Liz. Tengo que irme.

Lila se llevó la mano a la cabeza y miró en otra dirección.

—Tú no vas a ningún lado, Lila Fowler —la interrumpió Elizabeth—, más vale que te quede bien claro.

Lila se desmoronó completamente y se apoyó en el auto, llorando.

—No sabía que Jessie se robara cosas... te lo juro.

—¿Qué se llevó?

—No sé —dijo Lila, enderezándose un poco—. Acabábamos de entrar cuando se acercaron dos hombres y la detuvieron.

—¿Quieres decir que no se había llevado nada y simplemente la detuvieron?

—Sí, dijeron que la habían estado esperando... que ya se había llevado cosas en otras ocasiones.

Elizabeth sintió que la furia la invadía. De pronto comprendió todo. Seguramente la vendedora de Lisette's la había estado esperando a ella y no a Jessica.

—No es posible, la confundieron conmigo.

—¿Contigo, Elizabeth? *¿Tú también robas cosas?*

Elizabeth sintió un impulso furioso de sacudir a Lila.

—¡Esto es una terrible confusión! —gritaba Elizabeth para sí—. ¿Por qué no le advertí a Jessica que no viniera a este lugar? Ella jamás robaría nada, estoy segura. Lila, deja de llorar y escúchame. Quiero que me digas la verdad.

Lila Fowler dirigió la mirada hacia otro lado y comenzó a torcer el pañuelo de papel.

—¿Qué quieres decir?

—Te vi robar una pulsera el otro día.

—¿Una pulsera?

—¡No te hagas tonta, Lila! Tú eres la que ha estado robando cosas de este centro comercial.

—¿De qué hablas, Elizabeth Wakefield?

—Más vale que digas la verdad, Lila.

En vano, Lila aparentó estar ofendida.

—Mi padre es el hombre más rico de Sweet Valley. Puede comprarme lo que yo quiera... hasta es probable que vaya a estudiar a París.

—Mira Lila, no tiene caso que insistas, yo te *vi*.

—¿Me viste?

—Sí, saliste tranquilamente con una pulsera de oro. Y le has estado dando a Jessie las cosas: la bufanda, los aretes y quién sabe qué más.

Lila comenzó a llorar. La chica más rica de Sweet Valley perdió por completo el estilo y escondió la cara entre las manos.

—Ay, Liz, me siento tan avergonzada.

—Pero, ¿por qué haces eso, Lila?

—No lo sé.

—Tu padre te puede comprar todo esto y más, ¿no es cierto?

—Sí, pero sólo eso.

—¿Qué quieres decir?

Lila se secó las lágrimas. Miró hacia el estacionamiento y cuando habló, lo hizo con una amargura que Elizabeth jamás le había conocido.

—Jessica y tú son muy afortunadas. Su padre les

dedica tiempo y su madre también. Mi madre se largó inmediatamente después del divorcio y jamás veo a mi padre, aunque se supone que vivimos juntos. Está demasiado ocupado, viajando a Nueva York, París, Japón, o trabajando hasta muy tarde.

—Es un hombre muy importante, Lila.

—¡Vaya suerte! El año pasado que tuve un papel en la obra de teatro, él no estuvo. Estoy en el equipo de porristas pero él jamás ha ido a ningún juego.

—¿Y por eso robas, Lila? ¿Para llamar su atención?

—No lo sé... tal vez. Pero ahora me doy cuenta que no puedo decirle lo que he hecho. Tienes que ayudarme a salir de ésta.

Elizabeth sacudió la cabeza, preguntándose por qué siempre la gente recurría a ella cuando necesitaba ayuda.

—¿Y por qué yo, Lila? No tengo una varita mágica para arreglar todo.

—Porque eres la única en quien puedo confiar. Tú no vas a extender el rumor... eres la única amiga sincera que tengo.

Elizabeth estaba a punto de recordarle que era Jessica, pero no vio el caso.

—Bien, tenemos que entrar y decir la verdad, Lila.

Lila se quedó petrificada del temor.

—No... le dirán a mi padre.

—¿Y quieres que Jessie cargue con tu culpa?

—Pero tú puedes ayudarla.

—No, no, vamos.

Lila caminó hacia el centro comercial con paso lento, bañada en llanto.

—Escucha —decía Lila tirando de la manga de

Elizabeth—, diré la verdad, pero, ¿no podríamos hacer algo para que mi padre no lo sepa? Pagaré todo, Liz. Puedes decirles que pagaré todo lo que he robado, pero no quiero que mi padre se entere.

—Lo siento mucho, Lila —decía Elizabeth con firmeza, aunque sentía lástima por la desesperada chica—, tendrás que decirle a tu padre. Pero antes que nada, tenemos que liberar a Jessica.

—Elizabeth, prométeme una cosa. Por favor.

—¿De qué se trata?

—¿Sí me lo prometes?

—Si puedo...

—Nunca, jamás le digas a Jessica la verdad. Ni a ella ni a nadie.

—¿Y cómo quieres que la dejen ir si no les digo la verdad?

—Si tienes que decir algo, díselo sólo a los agentes, pero no a Jessica.

Elizabeth suspiró, al tiempo que escoltaba a Lila por el amplio pasillo central. Pasaron frente a Lisette's y se detuvieron frente a la puerta que decía *Departamento de Seguridad*.

Al entrar comenzó a oír los desesperados sollozos de su hermana y sintió ganas de llorar. Por primera vez en su vida, Jessica sufría por algo que no había hecho.

—¡Jessica! —dijo Elizabeth en voz alta.

—Liz, Liz —Jessica corrió como enloquecida por un corredor hacia ella. Se lanzó a sus brazos y la abrazó con fuerza—. Gracias a Dios que llegaste.

Detrás de ella apareció una enorme mujer y dos hombres corpulentos, vestidos con uniformes cafés y una identificación sobre la bolsa de la chaqueta.

—No, no te vas a ir —gritó la mujer, apretando la muñeca de Jessica.

—No la sueltes —dijo uno de los vigilantes, acercándose agresivamente.

—Ya la tengo, no te preocupes —miró a Elizabeth—. Por lo menos, eso creo.

Se alejó un poco para observarlas mejor y dijo:

—Sí, sí es ésta... la de los jeans de Jordache.

De pronto apareció la vendedora de Lisette's.

—Veo que ya detuvieron a mi pequeña ladrona —señaló a Elizabeth.

—Es ésta —dijo la mujerona.

La vendedora miró de una a la otra varias veces y de pronto exclamó:

—¡Santo cielo, pero si es toda una pandilla!

Jessica comenzó a llorar de nuevo.

—Liz, por favor diles que yo no soy una ladrona. No me he llevado nada.

—Está diciendo la verdad —espetó Elizabeth.

—La he visto por lo menos otras dos veces en este centro comercial —respondió la vendedora.

—¿La vio llevarse algo?

—En el momento que salió, me di cuenta que faltaba una pulsera de oro. Y ya había estado en otra ocasión.

—Esa era yo —dijo Elizabeth—. Las dos veces.

Jessica dejó de llorar y se volvió hacia su hermana, sorprendida.

—¿Tú, Lizzie?

La mujerona soltó a Jessica y tomó a Elizabeth del brazo.

—Les dije que era ésta —advirtió la vendedora—; reconozco estos ojos huidizos.

—Por favor —dijo Elizabeth enojada—, yo tampoco me robé nada.

La vendedora entrecerró los ojos al tiempo que se acercaba a Elizabeth.

—Así es que supongo que *nadie* robó mercancía con valor de seiscientos dólares de mi tienda.

Jessica dijo casi sin aliento:

—¿Seiscientos dólares?

—Creo que puedo aclarar todo —dijo Elizabeth—, pero dejen ir a mi hermana. Es absolutamente inocente.

—Muy bien, pero si ella se va, tú te quedas.

—Jess, espérame en el auto y no digas absolutamente nada a nadie.

—Mil gracias, Liz. Vámonos Lila.

—Lila se queda conmigo.

—Este... bueno, nos vemos luego.

Y sin siquiera voltear, Jessica salió, interesada únicamente en su propia libertad.

La corpulenta mujer acercó una silla y se sentó a esperar; lo mismo hizo el guardia. La vendedora caminaba de un lado a otro del cuarto.

—¿Y entonces? —dijo por fin el guardia.

—Lila, ¿no tienes nada que decir? —sugirió Elizabeth.

Lila Fowler se alejó un poco de la pared, abrió la boca y se desmayó.

Once

—¿Dónde estoy? —dijo Lila abriendo los ojos y mirando a todos los que la rodeaban.

—En el centro comercial —respondió Elizabeth nerviosa—. Todo se arreglará. Tu padre ya viene en camino.

—¿Qué? ¿Y por qué tiene que enterarse?

—La tienda levantó un acta —dijo Elizabeth, mientras Lila se soltaba a llorar en sus brazos.

A Elizabeth le pareció que transcurría una eternidad mientras sostenía a la llorosa Lila en sus brazos, bajo la mirada vigilante de los guardias. Finalmente la puerta se abrió y apareció George Fowler, con cara de profunda preocupación.

—¿Dónde está mi hija? —dijo al tiempo que entraba.

—Papi —gritó Lila, corriendo a sus brazos. Escondió la cara en su pecho y comenzó a llorar con fuerza—. Qué bueno que llegaste.

—Tranquilízate, amor —decía el señor Fowler con cara compungida. La llevó junto a Elizabeth y la hizo sentarse.

—Ay, papi... —Lila se volteó hacia la otra pared y se cubrió de nuevo la cara con las manos.

El señor Fowler hizo una señal a la mujerona, el guardia y la vendedora, y los cuatro se dirigieron a una pequeña oficina. Elizabeth alcanzó a escuchar su voz apenas perceptible mientras trataba de calmar a Lila y responder a sus interminables preguntas.

—¿Esto quiere decir que todos se van a enterar, Liz? ¿También Jess?

—Calma, Lila, creo que todo se arreglará.

Elizabeth trataba de escuchar la conversación en la oficina contigua.

—Claro, claro... por supuesto que veré eso —escuchó decir al señor Fowler—. Claro que tendré cuidado.

Salieron de la oficina y el señor Fowler tomó a su hija de la mano.

—Vámonos, mi amor, vámonos a casa.

Se volvió hacia Elizabeth.

—Creo que debemos estar muy agradecidos, Elizabeth.

—No, no, señor Fowler, para nada.

—Por supuesto, y Lila también. ¿Cómo podremos pagarte? ¿Puedo hacer algo por ti?

Elizabeth sintió que la cara le ardía y antes de que pudiera evitarlo, se escuchó decir:

—Por favor pase más tiempo con su hija, señor Fowler.

—¿Cómo dices?

Un grito ahogado se escapó de la garganta de Lila. Corrió hacia Elizabeth y la abrazó con fuerza. Después giró sobre sus talones y salió del cuarto.

—Lila, espera —dijo su padre, caminando tras ella.

Elizabeth volteó hacia la mujerona, la vendedora y el guardia y les dijo:

—¿Ya me puedo ir?

—Sí, y por favor disculpe que la hayamos acusado —pidió el guardia—. Ya estábamos desesperados por impedir estos robos y creo que tomamos decisiones apresuradas.

—No hay problema —contestó Elizabeth amablemente—. Este... ¿tendrá muchos problemas Lila Fowler por esto? Realmente no es una mala persona, sólo que...

—No —le aseguró la mujerona—, es primera vez que la detenemos y el señor Fowler parece ser un padre responsable. Ya nos pusimos de acuerdo sobre lo que hay que hacer, pero creo que debería dejar que su amiga le explique.

Elizabeth asintió, aliviada, y salió hacia el bullicio del centro comercial.

Sólo quedaba un problema... su promesa de no decirle a nadie lo sucedido. ¿Cómo podría guardar un secreto semejante a su hermana?

Jessica la estaba esperando en el auto y se moría de curiosidad por saber qué había pasado. Había visto al señor Fowler y a Lila irse. En cuanto Elizabeth abrió la portezuela, se lanzó como león hambriento.

—Elizabeth, ya me volví loca de esperar. ¿Qué pasó?

—Nada, ya se arregló.

La cara de Jessica pasó de la sorpresa a la incredulidad y a la furia ante una respuesta tan estúpida.

—¡Me acusan de que soy una ladrona y me dices que no pasó nada!

—Ya se aclaró y Lila se fue a casa con su padre, eso es todo.

—Uuuuuuffff —dijo Jessica indignada, pateando el piso del auto—. Elizabeth Wakefield, más vale que me digas qué pasó. Soy tu hermana gemela, casi tu misma persona.

—Ya vámonos, Jessie. Si quieres saber más del asunto, pregúntale a Lila.

—Lila es mi amiga. ¿Cómo te atreves a mantener secretos sobre ella? Dime, ¿fue ella la ladrona? No puedo creerlo. Tiene el dinero suficiente para comprarse todo el centro comercial.

El regreso a casa fue de pesadilla, ya que Elizabeth se dedicó a esquivar la andanada de preguntas de su hermana.

—Le preguntaré a Lila —gritó Jessica finalmente.

—Eso es lo que te he estado diciendo —respondió Elizabeth con lo que su hermana consideraba una calma exasperante. Jessica se bajó rápidamente del auto, azotó la portezuela y entró a la casa.

—¡Vaya día! —suspiró Elizabeth mientras que seguía a su hermana.

A la mañana siguiente, Jessica aún no le dirigía la palabra, pero a Elizabeth no le importaba demasiado. Sabía que no duraría mucho; Jessica simplemente no podía estar callada mucho tiempo. Sólo se preguntaba qué rompería el silencio.

Al día siguiente, Elizabeth fue por fin al joyero a comprar la banda para el reloj de Todd. Se sentía un poco rara y se detuvo frente al aparador de Lisette's. La vendedora la vio y le movió la mano con desgano, en señal de saludo. "Creo que aún no está segura de mí", se dijo Elizabeth con tristeza.

Cuando regresó a casa, el teléfono estaba sonando y corrió a contestar. Era Lila. Con tono asustado le explicó que tendría que ir con ella y su padre al tribunal para menores al día siguiente.

Elizabeth llegó a la enorme mansión blanca estilo español. Estaba maravillada con Fowler Crest, con sus jardines perfectamente diseñados y podados, la entrada de ladrillos rojos y la fuente con especies raras de peces tropicales. Le extrañó que Lila no fuera feliz con tanto lujo a su alrededor.

De camino al tribunal, Elizabeth se arrellanó en el asiento trasero con Lila, que iba pálida, aunque tranquila. Su peligroso juego había logrado por fin atraer la atención de su padre.

El señor Fowler iba al frente, junto al chofer. Continuamente volteaba para darle a su hija tranquilizadoras sonrisas. Incluso una vez le tomó la mano y se la oprimió.

—No te preocupes, mi amor, todo va a salir bien —le decía con ternura—. Vamos a arreglar todo.

Al llegar, se encontraron con el abogado del señor Fowler, un hombre delgado, de bigote y traje gris. Los cuatro entraron por una puerta lateral hasta los salones donde estaba el juez juvenil Herbert Marcuso. Se sentaron en sillones de cuero, mientras el juez murmuraba algo al tiempo que revolvía unos papeles. Finalmente, levantó la vista y sonrió con aire comprensivo.

El abogado presentó al señor Fowler, Lila y Elizabeth al juez y explicó que ésta última era una compañera de la escuela que fungiría como testigo.

Elizabeth fue muy breve. Explicó al juez con toda honestidad que Lila no era una chica problema y que jamás había sabido que hiciera nada deshonesto, hasta esta ocasión.

—Bien —dijo—, entiendo que la acusada ya ha aceptado los cargos y que se ha hecho la restitución correspondiente.

—Sí, su señoría —respondió el abogado.

—¿Desearía decir algo, señorita?

—No, señor —dijo Lila en una voz apenas audible.

—Estoy seguro que ha aprendido la lección, señorita Fowler. Señor Fowler, voy a concederle la libertad a su hija y la pongo bajo su custodia. No tendría ningún caso actuar de otra manera. Si su hija no tiene problemas en los próximos seis meses, el asunto quedará concluido; estará en libertad condicional durante seis meses.

El asunto había concluido. Salieron por la misma puerta lateral, subieron al mercedes plateado y el chofer los llevó de regreso.

—Bueno, no estuvo tan mal... —dijo el señor Fowler.

Lila no decía una palabra.

—¿Qué les parece si vamos a cenar a Palomar House? —sonrió.

¡Palomar House! Elizabeth no daba crédito de ir al restaurante más elegante de Sweet Valley. Cuando el chofer los dejó frente a la puerta, el *maître* saludó al señor Fowler por nombre y los pasó a una mesa con bancas acojinadas, bajo un inmenso candelabro. Los cubiertos de plata, exquisitamente diseñados, estaban impecablemente acomodados junto a cada plato de canto dorado.

Ordenaron camarones, chuletas de ternera, puntas de espárrago y soufflé de chocolate y terminaron con un capuchino sensacional. Elizabeth regresó a su casa satisfecha y feliz, prometiéndole de nuevo a Lila que jamás diría nada de lo sucedido.

Cuando el auto de los Fowler se alejaba de su casa, Elizabeth notó, nerviosa, que Jessica miraba por la ventana. Al momento de abrir la puerta, Jessica la abordó.

—¿A dónde fuiste con Lila?

—Sólo me trajo a casa, Jess.

—Eres una mentirosa, te va a crecer la nariz. ¿Dónde estabas?

—Ya te dije.

Jessica temblaba de la furia.

—No puedo soportarlo. Lila y tú traen algo entre manos y no me quieren decir. No soporto que otras personas tengan secretos.

Jessica seguía vociferando cuando Elizabeth desapareció hacia su cuarto. Este era el fin del asunto del robo; por lo menos, eso esperaba. Ya era hora de que volviera a ocuparse de sus cosas.

Esa noche salió con Todd y le dio su regalo.

—Bienvenida —le dijo mientras la besaba—. Te he extrañado mucho.

—Yo también Todd —suspiró Elizabeth al tiempo que ponía su mano sobre la mejilla de su novio—. Me encanta estar así contigo.

Todd la abrazó con más fuerza, sintiendo el calor de su cuerpo.

—¿Te parece mejor así? —recorrió con su mano la espalda de Liz, lo que le produjo escalofríos.

—Me gusta más —respondió y le dio un largo beso.

Al día siguiente, Elizabeth se sumergió en el montón de trabajo que se había acumulado sobre su escritorio en la oficina del periódico. Tenía que escribir a toda prisa un reportaje sobre las candidatas a porristas. Al mecanografiar los nombres de las chicas, Elizabeth casi se equivocó cuando llegó al nombre de Robin Wilson.

Doce

Si había algo que enfureciera a Jessica era la sonrisa enigmática de su hermana. Significaba que sabía algo que ella no, y eso era suficiente para que montara en cólera y escenificara una de sus iracundas pataletas.

Ese día, Elizabeth lucía esa misteriosa sonrisa desde la mañana.

—¿De qué te ríes, Elizabeth Wakefield?

—No te entiendo.

—Deja de reírte. ¿Qué te traes entre manos? No lo niegues, dime qué es.

Elizabeth bebió su jugo de naranja, mordisqueó el pan tostado y sonrió.

—También tú te enterarías de las cosas si leyeras el periódico de vez en cuando.

Jessica arrebató el *The Sweet Valley News* y buscó

ávidamente. "Nada salvo los habituales desastres y aburridas noticias sobre economía y política", se dijo.

Elizabeth estaba a punto de terminar el pan cuando por fin dijo:

—Me refería a *nuestro* periódico, *El Oráculo*.

—¿Dónde está? —Jessica se abalanzó y devoró las seis páginas en un segundo. Al ver la noticia, casi se cayó de la silla.

—No puede ser.

—Pues sí, Jessie... parece que tienes competencia en el equipo de porristas: Robin Wilson.

Jessica tiró el periódico con furioso ademán y cruzó los brazos.

—¿Y quién dijo que podía entrar al equipo?

—Todas pueden intentarlo, Jessie. Las Pi Betas no controlan eso.

—Pero parece un cadete espacial, Liz. ¿Has visto cómo camina? Parece que la hubieran sacado de una película de terror.

—Sí la he visto, Jess, y también muchas otras personas.

—¿Qué quieres decir?

—Que Robin se está volviendo muy popular desde que perdió todos esos kilos. Y no me parece que camine como un cadete espacial.

—No es justo —Jessica hizo un mohín y tuvo que admitir que su hermana tenía razón—. Hace unas semanas, era todavía una gordita. ¿Cómo pudo volverse tan bella en tan poco tiempo? ¿Cómo haría?

—Se ha esforzado mucho —apuntó Elizabeth—. ¿No lo has notado? Merece verse sensacional.

—Ay, ¡ya cállate!

—El otro día vi a Bruce salir tras ella, después de la escuela.

—Bruce Patman es el imbécil más grande —rugió Jessica—, y además, ¿él qué sabe? La belleza es interior, Liz. Recuérdalo. Lo que verdaderamente cuenta es lo que tenemos dentro y Robin Wilson es una loca estúpida. No entiendo por qué no nos quiere... después de todo lo que hicimos por ella. Eso indica que es una gente enferma.

Elizabeth tuvo que admitir que efectivamente lo que las Pi Betas habían logrado con Robin, sin proponérselo, era maravilloso. No sólo había logrado vengarse de ellas bajando de peso, sino que experimentó una total transformación. Los antiguos vestidos de tienda de campaña poco a poco fueron desapareciendo y en su lugar Robin vestía ropas vistosas y modernas. El pálido rostro tenía ahora un color saludable y nadie daba crédito de que Robin fuera la sensación de la secundaria. Incluso había varios chicos que pensaban que era nueva en la escuela; jamás habían notado su presencia.

Y todo comenzó la semana en que se postularon las nuevas integrantes del equipo de porristas.

El lunes, Robin llegó con jeans de diseñador, una blusa multicolor y nuevo peinado. El tono de labios y el perfecto maquillaje creaban un efecto que dejó boquiabierto a Bruce Patman.

—¿Quién es? —dijo casi sin aliento.

—Acaba de llegar de Marte —respondió Elizabeth, quien presenciaba la escena—. Le dicen la Devoradora Wilson.

· —Vaya, pues a mí sí me podría devorar en cualquier momento —asintió Bruce—. ¡Qué belleza!

La mayoría de los galanes de la escuela se aparecieron a la hora de la selección. Robin hizo toda la rutina como si hubiera practicado años. No sólo la seleccionaron de inmediato, sino que la hicieron capitana, para la sorpresa de Jessica.

Sin embargo, Jessica no era la única consternada.

—¡No es posible! —murmuraba Bruce Patman a todo el que pasaba a su lado—. Esa belleza es Robin Wilson.

Elizabeth decidió entrevistar a Robin, ya que su papel de capitana sería muy relevante. Le hizo varias preguntas, que Robin respondió entusiasmada, entre risas ocasionales. Era la primera vez que Elizabeth la veía reír en meses.

Por fin Elizabeth le hizo la pregunta "secreta".

—¿Cómo te sientes de hacerles tragar todo lo que dijeron?

—Maravilloso —Robin rio antes de recobrar la compostura—. La verdad es que no me importa mucho, aunque quiero que sepas, Liz, que esto no es nada.

—¿Tienes más sorpresas?

—Tengo la mayor sorpresa... espera un poco.

—Espero que no te vayas a ir por la borda, Robin.

—No te preocupes, Liz; ya aprendí a nadar entre tiburones.

Después de la victoria, Robin recobró algo de su antigua camaradería y Elizabeth se sentía contenta de compartir su lunch con ella y Enid bajo la sombra de un árbol.

—Al principio pensé que tú también me habías engañado —dijo Robin—. Creí que sabías que me rechazarían y que eras tan maldita como tu hermana.

—Vamos, Robin, Jessica no es maldita.

Robin la miró.

—Realmente es increíble, Liz. No es posible que no veas la maldad en nadie. Ella fue la que echó la bola negra.

—¿Jessica? No, no puedo creerlo —a Elizabeth le daba tristeza que Robin estuviera tan herida, tan desilusionada—. Era tu amiga.

Robin se rio y movió la cabeza.

—Liz, no trates de defenderla. Sé que fue Jessica. Lo decidí después de mucho pensarlo. Incluso creo que tú no conoces bien a tu hermana.

—Pero Robin...

—No quieres aceptar la clase de gente que es Jessica. Realmente nunca fuimos amigas. Yo fingía porque así quería que fuera. Ya me imagino lo que se habrá reído de mí.

Poco a poco, Elizabeth sentía que su amistad con Robin iba creciendo; un fuerte lazo había nacido en la adversidad y cada vez adquiría mayor profundidad.

—Tenía tanto miedo —confesó Robin un día—. Era tal mi necesidad de ser aceptada que me olvidé de mi orgullo y autoestima. Créeme, no vale la pena.

—Traté de decirte varias veces que esa estúpida fraternidad no lo valía —comentó Elizabeth.

—Ya lo sé y tenías razón. Lo que pasa es que tú ya estabas adentro, Liz, y las cosas eran fáciles para ti. Eres hermosa, inteligente, todos te quieren. No sabes lo que es tener problemas.

Al recordar lo que había sucedido recientemente, Elizabeth estuvo a punto de abrir la boca.

Ser amiga de Robin resultaba muy divertido. A donde fueran, Bruce Patman las seguía. Todd no estaba muy contento de que persiguiera a Liz, aunque después de percató que el objeto de su asedio era la nueva porrista. Parecía haber olvidado por completo que alguna vez la había llamado el *Queen Mary*. Todos en la secundaria, hasta Elizabeth, poco a poco olvidaron que Robin había sido fea y gorda. Sin embargo, ella no lo olvidaría jamás.

Trece

Elizabeth estaba en la oficina del periódico tratando de imaginar qué podría incluir en su columna. La única noticia importante era el juego de futbol contra los de la secundaria de Palisades. Pero como era noticia deportiva, la cubría John Pfeifer. "No es posible", pensaba Elizabeth enojada. "Tal vez debería dejar el periodismo y dedicarme a escribir novelas." Se rio al recordar lo que había sucedido el día anterior.

Estaba trabajando en su escritorio cuando el señor Collins entró y le entregó una carta. Los ojos se le desbordaron al ver el remitente: *The Sweet Valley News*. En una esquina estaba escrito el nombre del editor, Louis Westman. Elizabeth rompió el sobre con el corazón en las manos. Finalmente, suponía, habían aceptado uno de los artículos que durante meses había estado enviando al periódico. Sin embargo, mientras leía, su emoción iba desapareciendo.

"Querida señorita Wakefield:
"Me permito comunicarle que he recibido sus notas. Tiene usted muchas posibilidades y aunque no he podido incluir material suyo, espero que siga intentándolo.
"Sinceramente,
"Louis Westman."

Elizabeth se sumió en la silla y sintió un fuerte ardor en los ojos. Había hecho tantos esfuerzos. Y sólo recibía esta carta. El señor Collins estaba de pie junto a ella.

—Está muy bien, Wakefield —dijo alegremente—. No todos reciben cartas del editor.

—Pero, profesor, no ha publicado nada mío.

—Roma no se construyó en un día. Sigue intentando. Ya ves que dice que cree que lo lograrás. También yo lo creo.

En todo caso, el futuro lo diría. Por lo pronto, no se le ocurría nada para publicar. Decidió que sería mejor trabajar en casa y salió de las oficinas.

—¿Qué crees que se necesite para ser una novelista? —le preguntó a Jessica, cuando entró a su habitación con un montón de ropa.

—Elizabeth, deja de decir estupideces y ayúdame. Es el día más importante de mi vida.

—¿Qué pasa?

—¿Qué pasa? —chilló Jessica—. Actúas como si

estuvieras mal de la cabeza. Te lo he repetido toda la semana.

Sin tener la menor idea de la razón por la que su hermana estaba enfurecida, Elizabeth dijo calmadamente:

—¿Por qué no me lo dices otra vez?

Jessica se negó a decirle, pero a cambio comenzó a darle un discurso sobre cómo era posible que su hermana estuviera tan loca que quería hacer cosas imposibles como convertirse en novelista.

—Esto es demasiado. ¿Dónde están tus prioridades? ¿Cómo es posible que a mi hermana —a mi gemela— le pase desapercibido el día más importante de mi vida y ni se dé cuenta de la batalla a muerte que tendré que librar? Es injusto. Hasta parece que hubieran cambiado a los bebés en el hospital.

—Lo siento, Jess, ¿de qué batalla hablas?

De pronto Jessica cambió de tono.

—Liz, pobrecita, eres una ignorante... la reina de los futbolistas.

—Ah, eso.

—Claro, Elizabeth. Voy a ser *Miss Secundaria Sweet Valley* y tendrás que ayudarme. Estoy segura que soy la opción lógica, ya que fui electa reina en el baile de otoño. Y así piensan casi todos.

—¿Quiénes son casi todos?

—Pues todos. Lila y Cara y todas las Pi Betas. Y la mayoría de los chicos. Si quieres saberlo, creo que cada chico en la ofensiva está enamorado de mí —rio Jessica.

—¿Y les has dado esperanzas, Jessie?

—Este... bueno, no. Soy muy amable, desde luego, pero creo que una puede ser amable con varios chicos a la vez.

—¿Con todo el equipo?

—Por supuesto no *todo* el equipo. No he salido con ninguno que no esté en primera línea.

Elizabeth sonrió.

—Bueno, haces bien en ser selectiva.

—Claro que lo hago por mantener el espíritu de equipo. Y todos lo saben.

—Estoy segura. ¿Y cómo quieres que te ayude?

—Te estoy hablando en serio. En primer lugar, está la importantísima elección del guardarropa desde este momento hasta el día de la votación. Todos se fijan en esto, ya sabes. ¿Qué te parece si me pongo mis jeans Jordache el lunes?

—Se te ven sensacionales.

—Y mi traje de porrista el martes.

—¿Te refieres a llevarlo a clases? ¿No crees que llame demasiado la atención?

—¿Y qué te pasa, Liz? Eso es precisamente lo que quiero.

La decisión del guardarropa se llevó dos horas y después de innumerables cambios de opinión, Jessica quedó finalmente satisfecha.

—Ahora, en relación con mi campaña de publicidad...

—¿Tu campaña?

—Cuando registres a todas las aspirantes, quiero que pierdas sus fotografías, ¿ves? Me las das y las quemo.

—Pero Jessica.

—¿Qué te pasa?

—¿Y Lila Fowler? Ella también va a competir, ¿no es así?

—Lila no tiene ninguna hermana que sea prácti-

111

camente la editora de *El Oráculo*, así es que comprenderá.

Jessica sonrió esperanzada.

—Por supuesto que no, Jessica. No haré ninguna excepción con ninguna de las concursantes.

—Es lo más injusto que he escuchado en mi vida —gritó Jessica mientras azotaba la puerta.

Lila alcanzó a Elizabeth después de clases al día siguiente y la acompañó a la oficina del periódico. Con gran timidez le agradeció lo que había hecho.

—No seas tonta, no hice nada.

—Papá me llevó a Sacramento en el pequeño jet de la compañía —comentó Lila—. Fue sensacional —luego suspiró—; claro que ahora estará muy ocupado los próximos dos meses, pero quizá después...

Elizabeth no dijo nada. Dos meses. Ya se imaginaba lo que podría suceder. Una vez más la pobre Lila estaría muriéndose por llamar la atención de su padre.

—Sólo quería decirte que me siento mucho mejor. Y en verdad quiero agradecerte que no le hayas dicho a nadie. ¿Te preguntó algo Jessica?

Elizabeth movió la cabeza.

—¿Que si me preguntó? Lila, ¿aún crees en los Reyes Magos? —ambas rieron—. Afortunadamente se metió en este asunto de las porristas y dejó de molestarme.

—No sé cómo vas a ser una escritora, Liz, cuando eres capaz de guardarte semejante historia para ti.

La antigua Lila comenzaba a aflorar de nuevo, por lo que Elizabeth se preguntaba cuánto tiempo más sería amable con la única persona que conocía su secreto.

Las dos siguientes semanas estuvieron supercargadas de trabajo y todas las bellezas que pretendían el título de *Miss Secundaria Sweet Valley* tenían gran actividad. Ya no lucían ropas cómodas y camisetas; el bachillerato se había convertido en el escenario de un desfile de modas. Los jeans de Jordache competían con los Calvin Klein; se veían minifaldas y pantalones ajustados y los nuevos peinados hacían que las concursantes parecieran salir del *Glamour*.

A la cabeza de todas estaba Jessica Wakefield, cuya belleza natural, chispeantes ojos azules, pelo rubio matizado de luces y fantástica figura sobresalía, sin importar en qué actividad. Los jugadores del equipo de futbol comenzaron a usar camisetas con su nombre.

—¿No son un amor? —comentaba Jessica a quienes pasaban—. Están locos, pero son un amor.

De pronto, un letrero escrito a máquina apareció un día en los pizarrones de avisos de la escuela.

"ACEPTO EL RETO
"Me he enterado que miembros de Pi Beta Alfa han prohibido que cualquier chica que no pertenezca a la fraternidad concurse para *Miss Secundaria Sweet Valley*. Las conozco y sé que tratan de boicotearme, pero acepto su reto y pido tu voto.
"Robin Wilson."

El letrero causó sensación. Todos hablaban de él, en

la cafetería, en el auditorio y hasta en los lockers del equipo de futbol.

—¿Ya sabes lo que las Pi Betas le hicieron a Robin?

—¡Qué snobs!

—Pero es absolutamente idiota —reclamó Lila en tono defensivo—. ¿Cómo vamos a impedir que alguien concurse?

Durante días, este fue el tema de conversación en la escuela. Por más que las Pi Betas protestaron que ellas no tenían nada que ver, la acusación seguía rondando.

Por fin una mañana, frente a la escuela, Lila, Cara y Jessica pidieron públicamente que Robin anunciara quién de las Pi Betas había dicho semejante absurdo.

—¡Claro! —respondió Robin—. Lo haré en cuanto ustedes me digan quién fue la que me dio bola negra.

—Pero eso es un secreto —protestó Jessica, sin poder entender cómo era que a Robin se le ocurría decir semejante cosa. ¿Qué no tendría orgullo?

—En ese caso, mi información también es secreta.

Y entró a la escuela.

Esta era justamente el tipo de treta para el que las Pi Betas no estaban preparadas. Querían a toda costa hacer entender a la escuela que Robin debía ser rechazada, como la habían rechazado ellas. Sin embargo, cuando Bruce comenzó a rondar a Robin y el Club de Química, encabezado por Allen Walters, anunció que iban a darle el nombre de Reacción Robin a su fórmula más reciente, las Pi Betas se percataron que estaban a punto de perder. Finalmente, cuando la línea defensiva de los *Gladiadores* anunció que en adelante se llamarían *La brigada de la bola negra*, las Pi Betas no tuvieron duda de que habían perdido.

—Pero esto es imperdonable —gritaba Jessica a Elizabeth—. Tienes que escribir un editorial.

—¿Sobre qué?

—Tú también eres una Pi Beta.

—Es un concurso, Jessica, y yo soy periodista. Debo mantenerme totalmente neutral.

—¿Neutral? ¿Cómo puedes decir eso si me están apuñalando, mutilando y traicionando?

Finalmente llegó el viernes, día de la votación. Las urnas en cada piso de la escuela estaban repletas de votos. Había sido la mayor votación de la historia de la secundaria.

Hasta que cerraron las urnas, al final del día, los chicos coreaban y apoyaban a sus favoritas. La línea ofensiva de los *Gladiadores* desfiló por la cafetería con un letrero que decía: "Jessica es la mejor."

Luego entró la línea defensiva al auditorio, llevando un inmenso letrero: "Robin nos tiene perplejos."

El sábado se llevó a cabo el juego entre los *Gladiadores* de la secundaria de Sweet Valley y los *Pumas* de la secundaria de Palisades. Estaba previsto algún problema, ya que ambos equipos eran invictos. Los comentaristas deportivos y los locutores de radio habían anunciado el juego durante toda la semana, de manera que todo el mundo tenía gran interés.

Louis Westman, editor para las escuelas de *The Sweet Valley News* llegó a cubrir el gran juego y la estación local de televisión, KSVH, envió un equipo. Y, por supuesto, Allen Walters, el fotógrafo de *El Oráculo,* y John Pfeifer también estaban ahí.

Al acercarse al área de los reporteros, Elizabeth se topó con Louis Westman.

—Jamás había visto tanta gente... me van a asfixiar.

Elizabeth se dio cuenta de que era su oportunidad.

—¿Quiere que le ayude, señor Westman? —dijo ansiosa—. Yo voy a cubrir el concurso de *Miss Secundaria Sweet Valley* para *El Oráculo*. ¿Quiere que le haga un reportaje también?

—Señorita Wakefield, me ha salvado la vida. Véame después del juego.

—Por supuesto que sí —dijo Elizabeth emocionada.

Jamás se sabía quién era la elegida antes de que terminara el juego, porque el número de votos tradicionalmente comenzaba a contarse con la patada inicial del equipo invitado. La ganadora siempre era anunciada en el medio tiempo.

Jessica, sentada detrás de la banca del equipo con las otras concursantes, esperaba. Mientras observaba a los *Gladiadores* tomar la delantera 7-0, con una carrera larga de Ken Matthews, el capitán del equipo, su mente estaba en otra cosa.

"Me gustaría dar las gracias a mis amigos..."

De pronto los *Pumas* recuperaron un fumble en el terreno de los *Gladiadores* y empataron el juego 7-7.

"Espero ser una digna *Miss Secundaria Sweet Valley* durante el año." El discurso de Jessica sonaba en sus oídos.

Se escuchó el tiro y terminó el primer medio tiempo. Salieron Enid Rollins y el payaso de la clase, Winston Egbert, con los totales de los votos. Enid, con el micrófono en la mano, movía la mano pidiendo silencio.

—¡Atención, mucha atención! —gritaba con tono drámatico—. ¡Atención! ¡Ya tenemos nueva reina!

Un aullido colectivo apagó momentáneamente su voz. Winston levantó la mano, pidiendo silencio y terminó de anunciar.

—Este ha sido uno de los concursos más reñidos y felicitamos a todas las chicas por su gran esfuerzo.

Poco después, el señor Cooper, director de la escuela, salió y tomó el micrófono. Llevaba un pedazo de papel en la otra mano, del que leyó:

—*Miss Secundaria Sweet Valley* para este año es... ¡Robin Wilson!

Catorce

Robin tuvo que abrirse paso entre la multitud para llegar a la cancha. Bruce Patman, emocionado,
hacía a un lado a la gente y alardeaba que era el novio de la nueva *Miss Secundaria Sweet Valley*.

—¡Abran paso! —ordenaba Bruce, empujando a
la gente—. Va a pasar Robin. ¡Pásale Robin!

Tan pronto como llegó a la cancha, el equipo de
la televisión local la iluminó con sus reflectores. Elizabeth, quien cubría el evento para *El Oráculo* y para *The Sweet Valley News*, también le hacía preguntas a la despampanante Robin.

—¿Esperabas ganar?

—Pues no... realmente no. Si nunca esperas demasiado, jamás te decepcionarás.

—¿Tienes algo que decirles a los compañeros?

Robin se quedó mirando al cielo un momento.

—Sólo algo que todos sabemos, pero que a menudo olvidamos. Conócete a ti mismo y no trates de ser nadie más.

—¡Muy bien! —gritó Elizabeth. Notó que Allen Walters también se abría paso—. ¡Dejen pasar al fotógrafo de *El Oráculo*!

La multitud se hizo a un lado. Robin se quedó sola en el extremo de la cancha.

El señor Cooper se acercó y le entregó un inmenso ramo de rosas rojas, en tanto que Allen Walters fotografiaba el momento.

—¡Des-fi-le, des-fi-le! —gritaban los alumnos.

Era una tradición que la reina paseara en la parte trasera de una limousine descubierta alrededor del estadio, para celebrar su triunfo. Robin dudó un poco.

—Bruce —preguntó Robin—. ¿Crees que podría pasear en tu porsche en vez de en la limousine?

—¡Por supuesto! ¡Ahora lo traigo!

—¡Qué lindo! —dijo Robin dedicándole una deslumbrante sonrisa. Bruce salió corriendo hacia el estacionamiento, saltó a su auto e irrumpió en la cancha. A todo el mundo le parecía que Robin había alcanzado el máximo status en Sweet Valley. Era la reina del equipo y ahora daría la vuelta triunfal en el porsche de Bruce Patman.

El auto se detuvo frente a la limousine y Bruce se bajó a abrir la puerta. Robin subió, volteó a saludar a la multitud e hizo señal de que todos callaran.

—Gracias —dijo—. Ahora desfilaré junto con mi pareja, Allen Walters.

Elizabeth se acercó a la banca donde estaba Jessica.

—Es difícil decidir quién está más sorprendido, Bruce Patman o Allen Walters —reía, aunque Jessica la ignoró. Estaba mirándose en su espejo de bolso, tratando de imaginarse por qué había perdido.

—¿Allen Walters? —masculló Bruce.

—¿Yo? —preguntó Allen sorprendido.

—Ven, Allen —ordenó la reina al estupefacto chico, quien le pasó la cámara a Elizabeth.

—Vaya, Liz, creo que voy a figurar en la noticia.

Sonrojado hasta lo imposible y nervioso, Allen se apretujó en la parte trasera del porsche con Robin y volteaba feliz mientras hacían el desfile de la victoria, con la banda musical abriéndoles paso. Las porristas, con excepción de Jessica, se subieron a la limousine y siguieron al porsche. Robin sonrió a Allen y él la tomó de la mano. Todas las miradas se concentraban en el porsche negro, pero las de ellos, sólo en el otro.

Bruce Patman se veía furioso, notó Jessica mientras guardaba su espejo. Le daba gusto que si a ella le habían quitado el título que le correspondía, por lo menos él tampoco ganara nada. Su cara se puso peor cuando Elizabeth le tomó una foto para *El Oráculo* en su papel de chofer.

—¡Háganse a un lado! —gritaba enojado.

—Nunca te viste mejor, Bruce —rio Elizabeth.

Unos instantes después comenzó la segunda parte del juego. Los *Gladiadores* lograron avanzar el marcador 28-7.

Elizabeth voló a su cuarto después del juego, pasó la noticia a máquina y fue directamente a la oficina de Louis Westman.

La escribió con su máximo esfuerzo y pasó la noche en vela, después de la fiesta, preocupada de que fuera a quedar en el montón de las demás cosas que había enviado al periódico. Sin embargo, dos días después estaba feliz de verla publicada, con su nombre.

—¿Qué les parece? —le dijo a la familia—. Las victorias llegan de tres en tres. Ganamos el juego de futbol, Robin ganó el concurso y —los abanicó con el periódico— Elizabeth Wakefield ha tenido su primera colaboración en *The Sweet Valley News*.

Unos días después, las Pi Betas, que siempre apreciaban la popularidad, invitaron a Robin Wilson a su asociación. Inmediatamente fueron rechazadas, lo que las dejó boquiabiertas.

—¿Puedes imaginártelo? —comentaba Jessica a su hermana—. Por primera vez en la historia ignoramos la bola negra y tiene las agallas de no aceptar.

—En verdad que es sorprendente —rio Elizabeth.

—Es más, me dio las gracias por haber sido la culpable de que no hubiera entrado antes. Aunque juré que no había sido yo, ella me dio las gracias igual, porque dijo que eso había cambiado su vida.

—Y creo que así fue.

—Pues entonces, si la convertimos de patito feo en cisne, ¿cómo nos desprecia?

Elizabeth sabía que no tenía sentido explicarle nada a su hermana.

Robin tenía mejores cosas que hacer y después del juego ella y Allen se volvieron inseparables. Elizabeth hasta los mencionó en su columna *Ojos y Oídos*. El artículo decía: "Nuestro fotógrafo, Allen Walters, genio local, y Robin Wilson, *Miss Secundaria Sweet Valley*, se han descubierto mutuamente."

Unas semanas después, Elizabeth estaba preocupada por las Pi Betas, ya que tenían el doble peso de que Robin fuera reina y que las hubiera desdeñado.

Jessica tenía la mirada perdida la mayor parte del tiempo y desaparecía durante horas después de la escuela y los fines de semana.

Finalmente Elizabeth la interrogó.

—Espero que no estés preocupada por PBA.

—Ay, hermana, eso ocupa el milésimo lugar en mi lista de prioridades.

Elizabeth no podía creer lo que escuchaba.

—¿Qué dijiste, Jessica?

—Seguramente *tú* no te has dado cuenta, pero las Pi Betas son muy aniñadas y me sorprende que pases tanto tiempo con ellas.

Elizabeth miró sorprendida a su hermana. Parecía que Jessica hubiera cambiado de pronto. Esto no era raro, pero el tono de su voz la hizo sentirse nerviosa.

—¿Qué ha pasado, Jessica?

—¿De qué hablas? —la inocencia inundaba su mirada.

—Ultimamente te he notado un poco extraña, pero pensé que se debía a lo de Robin.

—¡Qué simple eres, hermana! Sólo una niña se preocuparía de eso.

—Pues si no te has estado escondiendo por lo de Robin, ¿dónde has estado?

—En la playa... dibujando. Comienzo a sentir que el arte es algo importantísimo para mí, Liz.

—¿Qué dices?

—Las dunas que están en Castle Cove son una maravilla.

Elizabeth se quedó petrificada. ¿Estaría escuchando bien? De pronto recordó que a ese lugar acostumbraban ir los chicos de la universidad.

—Jessica, ¿estás saliendo con el grupo de la universidad?

—Siento que son gente con la que me puedo llevar mejor —dijo seriamente—. Entienden de la vida y el arte.

—Vaya, vaya. ¿Y alguna de las maravillas naturales que encuentras ahí de casualidad es un chico?

—Scott Daniels —soltó Jessica emocionada—. Ay, Liz, es tan sensacional. Y está interesado en mí.

—Jessica, ¿sabe que sólo tienes dieciséis años?

—Eso no importa. Le gusto por lo que soy.

Diciendo esto, Jessica empacó sus cosas y se fue a Castle Cove.

Elizabeth la vio marcharse, temerosa de los resultados de esta nueva aventura de su impetuosa hermana. El que Jessica estuviera enamorada de un chico de la universidad significaba que habría problemas. Elizabeth deseaba que éstos no fueran a rebasar a su hermana... y a ella.

¿Estará Jessica enamorada de un universitario? Elizabeth presiente que esta vez su hermana ha ido demasiado lejos. ¿Tendrá razón? Léelo en el próximo número de Sweet Valley High: **Toda la noche.**

Esta obra se terminó de imprimir
en noviembre de 1989, en los talleres de
Impresora Roma, S.A.
Tomás Vázquez 152
México, D.F.

La edición consta de 10,000 ejemplares